O Reino que Não Era deste Mundo

Marcos Costa

O Reino que Não Era deste Mundo

Crônica de uma República Não Proclamada

valentina
Rio de Janeiro, 2024
4ª edição

CAPA
Duat Design

DIAGRAMAÇÃO
editoriarte

Impresso no Brasil
Printed in Brazil
2024

CATALOGAÇÃO NA FONTE
SINDICATO NACIONAL DOS EDITORES DE LIVROS, RJ

C87r
4.ed.

Costa, Marcos
O reino que não era deste mundo: crônica de uma república não proclamada / Marcos Costa. – 4. ed. – Rio de Janeiro: Valentina, 2024.

272 p. ; 21 cm.

Inclui bibliografi a
ISBN 978-85-65859-47-9

1. Brasil – História – Império, 1822-1889. I. Título

14-16956 CDD: 981.05
CDU: 94(81)

Todos os livros da Editora Valentina estão em conformidade com o novo Acordo Ortográfico da Língua Portuguesa.

EDITORA VALENTINA
Rua Santa Clara 50/1107 – Copacabana
Rio de Janeiro – 22041-012
Tel/Fax: (21) 3208-8777
www.editoravalentina.com.br

"A democracia no Brasil sempre foi um lamentável mal-entendido. Uma aristocracia rural e semifeudal importou e tratou de acomodá-la aos seus direitos e privilégios [...] É curioso notar que os movimentos aparentemente reformadores, no Brasil, partiram quase sempre de cima para baixo [...] A célebre carta de Aristides Lobo sobre o 15 de Novembro é documento flagrante do imprevisto que representou para nós, a despeito de toda propaganda, a realização da ideia republicana: 'Por ora, a cor do governo é puramente militar e deverá ser assim. O fato foi deles, deles só, porque a colaboração do elemento civil foi quase nula. O povo assistiu àquilo bestializado, atônito, surpreso, sem conhecer o que significava.'"

Sérgio Buarque de Holanda, *Raízes do Brasil*

"Sobre a sociedade, acima das classes, o aparelhamento político impera, rege e governa, em nome próprio, num ciclo impermeável de comando. Essa camada muda e se renova, mas não representa a nação, senão que, forçada pela lei do tempo, substitui moços por velhos, aptos por inaptos, num processo que cunha e nobilita os recém-vindos, imprimindo-lhes os seus valores."

Raymundo Faoro, *Os Donos do Poder*

"Devemos levar em conta que nada há de mais difícil, nem de sucesso mais duvidoso, nem mais arriscado, do que estabelecer novas leis. O novo legislador terá todos os beneficiados pela antiga legislação por inimigos, e contará com tímidos defensores entre os beneficiados pelas novas leis."

Maquiavel, *O Príncipe*

Sumário

Apresentação *9*

PARTE I • A NOVA ORDEM MUNDIAL

1 • A Princesa Isabel e o Barão de Cotegipe: o penúltimo combate *19*

2 • O Imperador D. Pedro I em seu labirinto *27*

3 • A segunda Independência do Brasil: 7 de abril de 1831 *34*

4 • Uma revolução à brasileira: mudar para deixar tudo exatamente como estava *39*

5 • A tropa de elite do Imperador D. Pedro II *45*

6 • Duque de Caxias e D. Pedro II: parceiros de uma vida *48*

7 • A guerra entre dois mundos *54*

8 • Os ventos da transformação *61*

9 • Fausto e Mefistófeles *65*

10 • Um imperador febril, tomado pela síndrome do Tio Patinhas *81*

11 • O Instituto Histórico e Geográfico Brasileiro: a agência de marketing do imperador *88*

12 • O imperador diante de um tabuleiro de xadrez *94*

PARTE II • A CONSPIRAÇÃO

1 • Um problema para o imperador e para o Império *101*

2 • Depois da tormenta, o casamento da Princesa Isabel *108*

3 • A ambição do Conde D'Eu *118*

4 • A primeira viagem da Princesa Isabel à Europa *125*

5 • A Guerra do Paraguai *129*

6 • A inversão partidária *134*

7 • A conspiração dos liberais *138*

8 • O papel de Caxias *142*

9 • O Conde D'Eu na guerra *149*

10 • A questão militar *156*

11 • A providencial primeira viagem do imperador à Europa *160*

12 • A Primeira Regência da jovem Princesa Isabel *167*

13 • O censo de 1872. O imperador quer saber: que país é este? *177*

14 • Nasce o movimento republicano *183*

PARTE III • CRÔNICA DE UMA REPÚBLICA NÃO PROCLAMADA

1 • Terceira Regência ou Terceiro Reinado? *195*

2 • O Terceiro Reinado começou *201*

3 • 13 de maio: a hora e a vez da Princesa Isabel *204*

4 • O ressentimento dos republicanos *216*

5 • O baile na Ilha Fiscal *221*

6 • A reunião do Clube Naval *227*

7 • Uma cronologia sumária do golpe *231*

8 • O ministério no covil dos lobos *242*

9 • A astúcia de Benjamin Constant: um golpe dentro do golpe *248*

10 • O imperador simplesmente desistiu *256*

11 • Finalmente: a crônica de uma república não proclamada *261*

Notas 267

Apresentação

A VERTENTE

A Independência do Brasil, em 1822, ocorrida de forma súbita e inesperada, convulsionou a sociedade brasileira. A animosidade entre brasileiros e portugueses subiu às alturas. Para jogar lenha na fogueira, em 1823, José Bonifácio apresentou na Assembleia Constituinte um projeto ousadíssimo. Tratava-se de uma lei que extinguia o tráfico de escravos no Brasil. A elite de negreiros (como eram chamados os traficantes de escravos) e de escravocratas, que era constituída por portugueses em sua maioria, eriçou os pelos com o projeto de Bonifácio, que feria de morte os seus interesses no Brasil. O Imperador D. Pedro I, português, ficou na corda bamba, defendendo ora os interesses da recente nação, ora os dos portugueses.

Fortemente pressionado pela elite — dona do poder, que bancava a Monarquia —, D. Pedro I dissolve as Câmaras e aborta a Assembleia Constituinte. É a primeira vez na história do Brasil independente que, segundo o historiador Raymundo Faoro, sobre o povo e em detrimento dele, o aparelhamento político do Estado pela elite imperou, regeu e governou o país em nome próprio. A partir daí essa seria a norma no universo da política brasileira, cuja lógica nos rege até os dias de hoje. José Bonifácio acabou exilado na França. Na volta, reconciliou-se com o imperador e, com a abdicação em 1831, foi nomeado por ele tutor de D. Pedro II, herdeiro do trono brasileiro. Foram poucos anos, entre 1831 e 1833, mas tempo suficiente para plantar no jovem imperador algumas sementes, que frutificariam na sua mocidade. À influência de José Bonifácio, D. Pedro II certamente deve certas convicções, que se tornaram vertentes das mudanças que ensaiou para o país. A mais importante delas: a convicção de que a escravidão deveria ser extinta.

A NOVA ORDEM MUNDIAL

Quando James Hargreaves, Richard Arkwrigth e James Watt inventaram suas máquinas de tear no final do século XVIII, sabiam que estavam revolucionando o mundo. No início do século XIX, com o avanço da Revolução Industrial na Inglaterra, as contradições entre capitalismo industrial e escravidão saltaram aos olhos porque se exigia, cada vez mais, a generalização das relações mercantis. Só o trabalho assalariado poderia significar mercados de consumo cada vez mais amplos, bem como o aumento simultâneo da produção mercantil.

Começam desse modo as articulações da Inglaterra para acabar com a escravidão no mundo. A pressão sobre o Brasil, por meio da Bill Aberdeen, de 1845, vai ser o segundo batismo de fogo do Imperador D. Pedro II, então com 20 anos. O primeiro fora a superação da própria resistência interna à Monarquia no período das regências. No entanto, para o jovem imperador, o fim do tráfico negreiro e da escravidão, numa canetada, seria enorme risco para a Monarquia, visto que as maiores fortunas da época eram oriundas justamente desse tipo de comércio. Seria um suicídio político.

A Lei Eusébio de Queiroz, de 1850, proibindo o tráfico negreiro, só foi possível porque o imperador contou com a astúcia de Irineu Evangelista de Souza, o Barão de Mauá, que soube transformar a desgraça iminente da elite brasileira em oportunidade de negócio infinitamente melhor, transformando-a de traficante em rentista. A imensa quantidade de capital que ficou disponível para empréstimo ao setor produtivo e comercial revolucionou a cidade do Rio de Janeiro com o surgimento de novas casas comerciais, novas ruas, iluminação pública, linhas de bonde etc. Para o imperador, ficou claro que qualquer alteração na esfera dos negócios que envolvia os donos do poder teria que vir acompanhada de mecanismos profundamente atrativos e compensatórios. Caso contrário, a guilhotina estava posta.

Foi a segunda vez que uma mudança estratégica nos rumos da economia brasileira levou em conta os interesses corporativos dessa elite. Aqui, o jovem imperador, deslumbrado, acordou do seu sonho reformista. A dura realidade de concreto armado era que o seu poder virtualmente não lhe pertencia. Não passava, no fundo, de uma concessão das elites.

Salvas as cabeças, restou para a Monarquia, depois do malabarismo que fez para contemporizar os interesses internos e externos, a convicção de que economia colonial e capitalismo guardavam relações extremamente contraditórias. Era hora de iniciar um movimento na economia brasileira de passagem daquele modelo colonial para o capitalismo industrial, estimulando assim a sua liquidação no curto e no longo prazo.

A questão principal a ser enfrentada era a de livrar o país do trabalho escravo e fomentar ainda mais a produção e o comércio por meio do trabalho assalariado, que criaria um amplo mercado consumidor. Mas como fazer essa transição do trabalho escravo para o assalariado se o trabalho escravo era a base da produção do café e o café era o principal produto brasileiro de exportação?

Os fazendeiros escravocratas formavam a base de sustentação política e econômica da Monarquia; indispor-se com esse setor da sociedade era loucura. A solução deveria vir no longo prazo, e o imperador projetou essa mudança para ocorrer num possível Terceiro Reinado.

Se fosse no Terceiro Reinado, a primeira questão a ser resolvida seria a da sucessão ao trono. Todos os filhos homens do Imperador D. Pedro haviam morrido ainda na infância, de modo que a Princesa Isabel tornou-se a herdeira presuntiva do trono. Dada a situação da mulher no século XIX, numa sociedade patriarcal, era hora de tratar do casamento da princesa. Para casar-se com sua filha, o imperador escolheu um príncipe francês, o Conde D'Eu, cujo pensamento liberal ia ao encontro dos seus projetos.

A partir desse momento, com essa nova ordem mundial em marcha, o imperador urde uma conspiração.

O TERCEIRO REINADO

Dois aspectos da vida da princesa e do conde demonstram claramente qual era o pensamento de ambos a respeito dos rumos que o Brasil deveria tomar. Nas suas viagens à Europa, podemos perceber como a princesa se interessava pelos avanços que a Revolução Industrial estava proporcionando. A cada dia ela se convencia mais de que o Brasil devia, primeiro, ir diminuindo aos poucos a sua dependência para a produção e exportação de commodities e, segundo, se livrar do trabalho escravo. É emblemático que no fim da Guerra do Paraguai (1870) um dos primeiros atos do Conde D'Eu será decretar o fim da escravidão naquele país.

Não será por acaso também que nas regências da Princesa Isabel as decisões mais importantes no sentido de abolir a escravidão serão tomadas. Na Primeira Regência, em 1871, ela aprova a Lei do Ventre Livre, e depois, a Lei dos Sexagenários. Essa atitude e os fomentos à imigração, à industrialização, ao comércio etc. vão deixar os fazendeiros com a pulga atrás da orelha. Desde a atitude do Conde D'Eu de libertar os escravos no Paraguai, os fazendeiros já haviam percebido que o Terceiro Reinado se vinha desenhando de modo completamente desfavorável à manutenção do ruralismo, do escravismo e da monocultura do café. As políticas progressistas da Princesa Isabel objetivavam conectar a Monarquia com outra elite, arrivista, urbana, liberal, industrial, comerciante, que vinha ascendendo desde as mudanças operadas na década de 1850. Essa outra elite começava a aparelhar o Estado com a conivência e o beneplácito da Monarquia. Não é por acaso também que logo depois de aprovada a Lei do Ventre Livre, na Primeira Regência da Princesa Isabel, nasce no Brasil o movimento republicano e, em 1873, o Partido Republicano Paulista, o grande articulador do golpe de 1889.

O ÚLTIMO COMBATE

No início de 1888, o Imperador D. Pedro II encontra-se gravemente doente, numa viagem de tratamento pela Europa. A Princesa Isabel está à frente do governo do Brasil na sua Terceira Regência. Há apreensão generalizada no universo da sociedade brasileira. Do lado da elite — fazendeiros escravocratas —, o medo era de que o imperador morresse e tivesse início o temido e perigoso Terceiro Reinado. Do lado da Princesa Isabel, devia-se ao fato de que, para a Monarquia brasileira, o Terceiro Reinado já havia começado e era hora de romper o dique, deixar rolar o tsunami e partir para o tudo ou nada.

No dia 13 de maio de 1888, numa canetada, a princesa faz o que o Imperador D. Pedro II não teve coragem de fazer em quase 50 anos de reinado: pôr fim a um estado de coisas que persistia na sociedade brasileira havia 400 anos. Com esse gesto singelo, diz a que veio e que não estava para brincadeira.

Esse ato profundamente hostil aos donos do poder é revestido de extrema coragem da Princesa Isabel e de extrema importância para o Brasil, pois a partir desse momento deixam de existir o principal entrave para o desenvolvimento do país e o último elo com o passado colonial. Como consequência, passamos a conviver, segundo o historiador Sérgio Buarque de Holanda, entre dois mundos: um definitivamente morto e outro que lutava por vir à luz.

Afrontada em seus interesses e prestígio por uma mulher, essa elite articula o golpe contra a Monarquia no dia 15 de novembro de 1889. Já consumado o golpe, o imperador pergunta ao Ministro Saraiva por que não poderia ser o terceiro reinado da Princesa Isabel. O ministro responde de forma curta e profundamente lúcida: porque o seu reino não é deste mundo.

O BRASIL NÃO TEM POVO?

Com a queda da Monarquia e o advento da República, em 1889, ocorre apenas um desdobramento dos fatos ocorridos em 1871 e 1888. O erro da Princesa Isabel foi subestimar a história, pois, segundo Faoro, "de D. João I a Getúlio Vargas, numa viagem de seis séculos, uma estrutura político-social resistiu a todas as transformações fundamentais [...] a comunidade política conduz, comanda, supervisiona os negócios públicos como negócios privados".

O federalismo, menina dos olhos dos republicanos, e a consequente descentralização do poder caíram como uma luva para os produtores de café, sobretudo do estado de São Paulo. Alçada ao poder, livre, portanto, das amarras da Monarquia, essa elite aparelhou o Estado para servir aos seus interesses mais imediatos, criando, aliás, uma série de mecanismos de defesa, por meio dos quais, segundo Celso Furtado, "a classe dirigente cafeeira logrou transferir para o conjunto da coletividade o peso da carga das quedas cíclicas da produção".

De 1889 até 1930, o país permaneceu predominantemente agrícola. O censo de 1920 denuncia essa permanência e esse atraso: 69% da população se dedicavam à agricultura e apenas 13% à indústria. Até os dias de hoje o Brasil é um importante exportador de commodities, e é essa atividade que dá certa vitalidade ao PIB do país. Toda essa prática, segundo Faoro, "cobriu o país com a túnica rígida do passado inexorável, pesado, sufocante".

No final do século XIX, Louis Couty, no livro *L'esclavage au Brésil*, observou que "a situação funcional da população brasileira pode ser resumida numa frase: o Brasil não tem povo". O povo brasileiro nas ruas, em meados de 2013, subverteu uma lógica que perdurava ao longo dos últimos 500 anos. A lógica de que assistíamos a tudo bestializados, atônitos e surpresos, sem mover um músculo, como se o profundo abismo que nos separa de nossos direitos sociais, da nossa cidadania, do nosso direito de acesso à riqueza do país, aos benefícios da modernização e do desenvolvimento econômico fosse uma barreira natural e intransponível. Vivemos, portanto, um período histórico. Que desse parto difícil, executado a fórceps, nasça um país novo.

PARTE I

A nova ordem mundial

A PRINCESA ISABEL E O BARÃO DE COTEGIPE: O PENÚLTIMO COMBATE

No dia 5 de janeiro de 1887, quarta-feira, a Princesa Isabel embarcou para sua última viagem à Europa enquanto herdeira do trono do Brasil e da única monarquia das Américas. Sua próxima viagem ao Velho Continente já seria realizada de forma compulsória, como exilada, juntamente com toda a família imperial, pelo golpe militar que instituiria a República no dia 16 de novembro de 1889.

Desde o início da década de 1870, especialmente em 1871, quando a princesa assumiu a sua Primeira Regência e nela conseguiu fazer passar a Lei do Ventre Livre, vinha aos poucos auferindo um enorme prestígio na sociedade carioca. Tinha 25 anos na ocasião e, embora jovem como chefe de Estado, "enfrentou com galhardia os mais experimentados estadistas do Segundo Reinado".[1] Novamente em 1876, durante a Segunda Regência, em carta endereçada ao imperador na Europa, revela um pouco mais do seu perfil quando diz que "gostaria também de poder empurrar os melhoramentos do país, estradas de ferro, colonização etc. [...] mas o carro é pesado e não sei se terei força para ajudar no que for possível".[2] Por atitudes dessa natureza é que a princesa estava cheia de moral, a ponto de um jornalista de *A Semana* constatar que o seu embarque se havia transformado num evento em que estava presente "tudo quanto há de medalhões nesta cidade".

Impressionado com a intensa movimentação de VIPs, o observador relata ainda: "Nunca vi uma pobre senhora indefesa ser agredida por tantos beijos na sua mão aristocrática [...] senhoras, cavalheiros e louras crianças [...] além da família imperial, muitas pessoas gradas, entre as quais pude notar seis ministros, o corpo diplomático estrangeiro, vários senadores e deputados, veadores e médicos do paço, empregados públicos e capitalistas, oficiais do Exército e da Armada."[3]

O embarque da princesa, como se pode notar, virou um evento social. Havia todo um *entourage* interessado em ser visto por ela e firmar assim o seu apoio incondicional à herdeira presuntiva do trono brasileiro.

Mas em meio à festa na qual se transformou o embarque, um detalhe chamou a atenção de todos: o estado de saúde do imperador. Havia envelhecido demais nos últimos anos por causa da diabetes. Ao Conde D'Eu, marido da princesa, não havia passado despercebida essa realidade preocupante. Poucos dias antes, em carta enviada ao pai, na França, comunicando a sua viagem, o conde acrescentou, no final, o seguinte comentário: "O imperador anda com bastante dificuldade e desde algumas semanas uma tosse persistente visivelmente o cansa [...] o público já se preocupa com esse enfraquecimento aparente de sua saúde."[4]

A impressão do Conde D'Eu de que a aparência do imperador estava especialmente abatida naquele dia e, portanto, sinal de que a sua saúde não andava bem, era na verdade intuição sobre algo que, de fato, estava prestes a ocorrer.

E ocorreu no dia 27 de fevereiro de 1887; quando assistia a um concerto em Petrópolis, cidade onde a família imperial costumava passar os meses mais quentes, fugindo do verão carioca, o imperador passou mal. Falava-se em ataque de febre palustre, ou malária, como conhecemos hoje essa doença.

O mesmo jornal *A Semana* tratou logo de publicar a notícia de que o imperador encontrava-se gravemente enfermo, pois desde há algumas semanas se podia notar "que a sua diabetes agravou-se, tem-se acentuado assustadoramente o quebrantado de suas forças, o desânimo, a debilidade, o esgotamento de seu organismo".[5]

Nesse momento, dado o disse me disse sobre a gravidade da saúde do imperador, que, isolado em Petrópolis, ninguém podia consultar para confirmar ou desmentir as notícias, iniciou-se uma sequência de episódios obscuros. Pouco conhecidos e até hoje mal explicados, quase fizeram antecipar o golpe que proclamaria a República em alguns anos.

Tudo começou com o isolamento que ao imperador foi determinado que mantivesse por alguns dias, provavelmente pelo seu médico particular, o Dr. Claudio Velho da Mota Maia. A sua ausência dava motivo para especulações, inclusive as mais maledicentes, que iam no sentido de espalhar boatos de que os seus dias estavam contados, se é que já não havia falecido.

Toda essa celeuma se deu porque o único interlocutor entre o imperador, retido na serra, em Petrópolis, e o mundo exterior, o Rio de Janeiro, era o Ministro João Maurício Vanderley, o Barão de Cotegipe. No Brasil, não podemos esquecer, funcionava uma monarquia parlamentarista em que havia o imperador e o primeiro-ministro — quem de fato governava —, e que no caso era o Barão de Cotegipe. Quando o imperador se ausentava do país, quem assumia o trono era o seu herdeiro imediato, ou seja, a Princesa Isabel, continuando o primeiro-ministro a administrar o país sob os auspícios da Monarquia. Nessa ocasião *sui generis*, em que tanto o imperador como a Princesa Isabel estavam impedidos de assumir o comando do país, o Barão de Cotegipe se sentiu com plenos poderes, de início como primeiro-ministro que era e depois se achando o próprio imperador.

Assim sendo, com o ego inflado por esse acúmulo de poder, era ele quem fazia correr na Corte, à boca pequena, de fofoca em fofoca, uma corrente no sentido de causar a indignação das pessoas. Indignação pelo fato de que, enquanto o imperador se encontrava em péssimas condições de saúde, a Princesa Isabel passeava pela Europa, indiferente ao pai e ao país, consequentemente.

Essas fofocas, de uma forma ou de outra, conseguiam atingir o seu objetivo, que era provocar a difamação da Princesa Isabel. Um sinal disso foi o ofício emitido pelo diplomata da Inglaterra, Mac Donnel, em 7 de maio de 1887, para o governo de seu país — à Rainha Vitória, que, diga-se de passagem, a Princesa Isabel tinha visitado —, em que apontava que "esse aparente desinteresse pelas críticas condições do pai diminui ainda mais a fraca popularidade da princesa e do Conde D'Eu".[6]

Diziam também, por outro lado, em meio à grande rede de fofocas que se formou, que o próprio imperador havia dito e ordenado que a verdade não fosse relevada à princesa para que o contratempo não atrapalhasse sua *saison* europeia. De fato, as notícias que a princesa recebia na Europa eram as mais tranquilizadoras possíveis. Havia sido avisada, evidentemente, sobre o colapso que o imperador sofrera, mas que ia bem, recuperando-se plenamente, e que não havia, portanto, razões para que ela se preocupasse. Quem fazia essa ponte entre o imperador e a Princesa Isabel era justamente o Barão de Cotegipe.

Maquiavélica, a astúcia engendrada pelo barão para iludir a Princesa Isabel sobre a gravidade da situação do imperador tinha, no fundo, dois objetivos: primeiro, não alarmá-la e com isso mantê-la longe do Brasil o quanto mais fosse possível. Na cabeça do barão, manter a princesa passeando pela Europa deixaria necessariamente, na sociedade da Corte, a impressão de que ela tratava a questão da sucessão com uma indiferença reveladora do seu verdadeiro sentimento pelo país: o descaso.

O segundo objetivo era um pouco mais pragmático. O plano que o barão urdira era o de manter igualmente a princesa longe, esperar o imperador passar desta para melhor e então optar por dois caminhos distintos. O primeiro, o mais conservador: no vazio do poder, alçar o Príncipe D. Pedro Augusto, filho da falecida D. Leopoldina, irmã da Princesa Isabel, neto, portanto, do imperador, à sucessão do trono. O segundo caminho, mais radical, era aproveitar o vazio do poder e levar a cabo a mudança do regime, ou seja, proclamar a República.

Além desses planos mais gerais, para o Barão de Cotegipe a ausência da princesa era duplamente satisfatória. Primeiro porque estava se sentindo o próprio monarca, governando com plenos poderes. Os cartunistas da *Revista Illustrada,* de orientação abolicionista e republicana, publicaram diversas ilustrações do barão trajando vestes imperiais; nas legendas o identificavam ironicamente como D. Cotegipe I: imperador inconstitucional e defensor perpétuo da escravidão. Segundo porque ao barão não "lhe sorria a eventualidade de ter a princesa ali, a seu lado, para não estar a dar-lhe conta do que fazia ou deixava de fazer, e ter assim, talvez, que obedecê-la em assuntos sobre os quais o seu ponto de vista não coincidia em nada com o dela".[7]

Havia muito tempo, desde as primeiras regências da princesa, os dois não se bicavam, e as relações azedaram de vez por ocasião de um incidente: uma festa que ocorreu no famoso quilombo do Leblon. Corria o boato de que Seixas Magalhães mantinha em sua chácara no Leblon um quilombo, onde acolhia escravos fugidos de fazendas da região. Os escravos fugidos trabalhavam, entre outras coisas, no cultivo das famosas camélias que enfeitavam o Palácio das Laranjeiras, residência oficial da Princesa Isabel, e se tornaram símbolo do abolicionismo.

Na ocasião da festa, em 13 de março de 1886, Cotegipe imaginou que havia arrumado o motivo que tanto esperava para acabar com a brincadeira abolicionista de José de Seixas Magalhães, que no seu modo de entender se havia transformado num escândalo político permanente. O primeiro-ministro Cotegipe foi, todavia, impedido de agir pela intervenção da Princesa Isabel junto ao imperador, que ordenou que o assunto fosse encerrado sem maiores investigações. Ele sempre soube que foi ela quem convenceu o imperador a desautorizá-lo a enviar o chefe da polícia, Coelho Bastos, para acabar com a desordem. Ela, por sua vez, sempre fez questão de que esse aspecto do acontecido ficasse bem claro.

A partir desse dia, Cotegipe passou a dirigir, acintosamente, olhares malignos para a princesa, onde quer que estivessem. Não por acaso, no episódio da doença do imperador, a estratégia do barão foi a de omitir a realidade pela frente e difamá-la pelas costas. Foi o modo que encontrou para destilar a sua vingança, pois enquanto todos consideravam mais do que necessária a presença da princesa no Brasil, ele seguia enganando-a sobre a verdadeira situação do imperador.

A intenção era claramente a de, no mínimo, chamar a atenção para esse aspecto pouco altruísta da personalidade da princesa. Em última instância, desmascará-la diante daquela sociedade que, pelo seu trabalho em torno da abolição, começava a admirá-la e ver nela uma sucessora viável para o imperador.

Enfim, só quando a situação se tornou incontornável é que a princesa recebeu telegramas informando que a saúde do imperador ia de mal a pior. No dia 8 de junho, passados três meses do início da crise, ela aborta a viagem que inicialmente havia projetado para mais algum tempo, retorna ao Brasil e se junta à família em Petrópolis.

Ao perceber que o pai definhava a olhos vistos, ela o convence a se tratar na Europa e, no dia 30 de junho de 1887, o imperador consente, muito a contragosto, em viajar. Uma apreensão enorme toma conta de todos. Houve quem nominasse o navio que conduzia o imperador à Europa de "Esquife da Monarquia".

Para dar nome aos bois, quem assinou a coluna no periódico *O Paiz* denominando o paquete *Gironde* como esquife foi o seu redator-chefe, Quintino Bocaiúva. *O Paiz* havia sido fundado em 1º de outubro de 1884 e congregava toda uma comuna de republicanos nascidos na geração de 1870, ou seja, naquela que viu a Monarquia dar os primeiros passos no sentido de abolir a escravidão no Brasil e dar à economia outro rumo.

O jornal foi fundado pelo empresário João José dos Reis e teve como primeiro redator-chefe ninguém menos que Rui Barbosa. Quintino Bocaiúva assumiria a chefia da redação anos depois da sua fundação. Da passagem de um redator a outro, o que não mudou foi a orientação editorial, que continuou a sua cruzada contra as transformações que ocorriam no interior da Monarquia no Brasil a partir do momento em que ficou evidente o avanço da doença do imperador.

O texto publicado em *O Paiz* na ocasião da partida do imperador para se tratar na Europa revela um duplo sentido nas palavras de Bocaiúva. Se, por um lado, de certa forma, comemorava o estado de saúde do imperador, por outro temia justamente que tal situação implicasse o início do Terceiro Reinado. Que o imperador partisse desta para melhor, tudo bem, o problema a ser resolvido a qualquer custo era evitar o perigoso reinado da Princesa Isabel e do Conde D'Eu, esse sim considerado pelo autor do artigo um problema iminente.

Para a princesa, resolvido o primeiro problema emergencial, que era tratar a questão da saúde do pai, faltava resolver o segundo problema emergencial: acertar as contas com o Barão de Cotegipe. Tem início nesse momento a Terceira Regência da Princesa Isabel, ou seria o Terceiro Reinado?

Como deu para perceber, esta é a história de uma conspiração. Mas não nos antecipemos, pois o preâmbulo que o leitor acaba de ler faz parte das cenas finais da trama de uma história que começou muito, muito antes.

O IMPERADOR D. PEDRO I EM SEU LABIRINTO

A morte de D. João VI, em 1826, apenas quatro anos após a Independência do Brasil, criou uma situação constrangedora nas relações entre Brasil e Portugal. As chagas de 1808, quando D. João havia abandonado Portugal, fugindo da invasão napoleônica, deixando o país acéfalo e administrando a metrópole a partir do Brasil, ainda estavam abertas. Nessa ocasião, em 1826, em Portugal, o povo saiu às ruas exigindo que o herdeiro do trono português assumisse imediatamente o posto. O problema era que o herdeiro do trono de Portugal era justamente o imperador do Brasil, agora independente, D. Pedro I.

Assumir os dois tronos implicava praticamente reconduzir o Brasil à condição de Reino Unido a Portugal e Algarves. Essa condição havia ocorrido em dezembro de 1815, numa manobra de D. João VI para que ele pudesse assumir o trono de Portugal sem, no entanto, sair do Brasil. Tornara-se rei de Portugal por ocasião da morte da Rainha D. Maria I, sua mãe, que vivia praticamente em estado de loucura no Brasil, completamente senil e para tudo dependente de suas amas, daí o surgimento da expressão maria vai com as outras.

Mas como as ameaças napoleônicas haviam passado e nada mais justificava a permanência do rei e da Corte no Brasil, uma série de revoltas eclodiu em Portugal. Embora contrariado, a situação política de Portugal acabou, por fim, obrigando D. João VI a retornar ao país em 1821, com o risco de, se não embarcasse, ser destronado por uma revolução liberal.

D. Pedro I, portanto, se viu na mesma situação de seu pai, D. João VI, como herdeiro que era do trono português, ao se tornar Pedro IV, o vigésimo oitavo rei de Portugal com a morte de D. João VI. Embora essa situação tivesse durado apenas alguns dias, de 26 de abril a 2 de maio de 1826, foi o suficiente para lançar lenha na fogueira dos descontentes no Brasil. A solução de última hora que o Imperador D. Pedro I encontrou foi abdicar do trono em favor de sua filha Maria da Glória. Com apenas 7 anos na ocasião, ela se tornaria, com a manobra do pai, Maria II, a trigésima primeira rainha de Portugal.

Mas o incidente foi o bastante para que os ânimos se exaltassem e, de 1826 até 1831, época em que as hostilidades a D. Pedro I se acirram, o clima na sociedade e na política brasileira se manteve aquecido, ora na brasa, ora no fogo.

A impopularidade de D. Pedro I vai se elevando de forma galopante por conta de toda uma estrutura de origem portuguesa que ele mantinha ao redor de si. Os comerciantes que atuavam no Brasil eram, em sua maioria, portugueses; os políticos que formavam a base do governo eram, em sua maioria, portugueses, e, enfim, o próprio imperador era português.

Essa peculiaridade do Primeiro Reinado fez com que o 7 de Setembro de 1822, embora assinale de fato a independência do país, deixasse, ao cabo, um gostinho amargo devido àquela legião de portugueses que dominava a política nacional. Esses homens usufruíam da total cobertura do imperador, de modo que 1822 acabou se revelando, na prática, mais uma continuidade do que uma ruptura.

As revoltas que surgiram a partir de 1826 no Brasil seguiam em duas direções: por um lado, sobretudo da parte dos portugueses que por aqui viviam, reivindicava-se a permanência de D. Pedro I; por outro lado, havia os que falavam, caso D. Pedro I assumisse o trono de Portugal, em fim da Monarquia e em República. Os republicanos desse período moviam-se no mesmo terreno e na esteira dos movimentos que já haviam proclamado a República em todos os países vizinhos da América Latina.

A forte resistência ao Imperador D. Pedro I teve início em 1824, quando ele dissolveu a Assembleia Constituinte, que elaboraria a primeira Constituição do Brasil, e outorgou pessoalmente a Constituição, que lhe delegou mais poderes do que ele certamente teria se a Constituição tivesse sido elaborada pela Assembleia Constituinte e, portanto, promulgada. Esse ato autoritário e unilateral do imperador gerou contra si forte oposição e uma antipatia que se estenderiam até 1831, ano da sua abdicação.

A desventura do Imperador D. Pedro I foi que nesse mesmo período, entre 1824 e 1831, na França, Carlos X reinou com excesso de absolutismo, contrariando muitos dos princípios surgidos com a Revolução Francesa. A forte oposição ao seu reinado desembocou, como sabemos, na guerra civil na França e na deposição do imperador. A grande repercussão da resistência ao absolutismo na França contaminava, no Brasil, o espírito daqueles que não se conformavam com a atitude de D. Pedro I ao destituir a Assembleia Constituinte.

A consequência mais grave desse ato autoritário do imperador, que não queria ver seus poderes limitados por uma Constituição promulgada pela Assembleia, foi a Confederação do Equador — o maior ato de resistência surgido em decorrência desses acontecimentos em torno da Constituição de 1824 e que culminou, entre outros aspectos, no fuzilamento de Frei Caneca. Menos radicais, porém não menos combativos, foram os diversos periódicos, jornais, revistas etc. que surgiram nesse período, sobretudo no Rio de Janeiro, e com o intuito de mobilizar a opinião pública sobre a aberração da Constituição outorgada.

No Rio de Janeiro, o ambiente permaneceu completamente convulsionado. A partir de 1824, pode-se dizer com certeza que a opinião pública se dividiu em duas frentes: de um lado, os portugueses que apoiavam incondicionalmente o imperador, e, do outro, os brasileiros que se sentiam traídos por sua atitude.

No início de 1831, o imperador articula uma série de viagens pelas províncias para sondar se o espírito de dissidência e descontentamento era localizado ou generalizado. No dia 22 de fevereiro de 1831, em Minas Gerais, profere o seguinte discurso: "Mineiros, não me dirigirei somente a vós, o interesse é geral. Eu falo pois com todos os brasileiros. Existe um partido desorganizador, que, se aproveitando das circunstâncias puramente peculiares da França, pretende iludir-vos com invectivas contra a minha inviolável e sagrada pessoa e contra o governo, a fim de representar no Brasil cenas de terror, cobrindo-o de luto, com o intuito de saciar suas vinganças e paixões particulares, a despeito do bem da Pátria [...] eu não falo agora como vosso imperador, mas como vosso amigo cordial, não vos deixeis iludir por doutrinas que tanto têm de sedutoras quanto de perniciosas."[8]

O discurso não convence e o Imperador D. Pedro I aborta o seu plano de viagens e decide retornar ao Rio de Janeiro. Enquanto isso, um editorial do jornal *Aurora Fluminense* critica duramente sua atitude: "No Rio de Janeiro, está prestes a romper uma revolução [...] o imperador se viu forçado a ir a Minas para ali se fazer forte contra os rebeldes ou para marchar sobre eles [...] por felicidade, nada disso existe, a opinião, o espírito público na capital do Império, ou nessa província, estão no mesmo grau; em toda parte se observa, a respeito do governo, o mesmo descontentamento, a mesma suspeita, em ambos os pontos do Império a massa da população quer, porém, a Monarquia constitucional."[9]

Com o cerco se fechando e a popularidade do imperador declinando velozmente, seus partidários, seus correligionários e compatriotas resolvem contra-atacar. Organizados na sociedade secreta Colunas do Trono, programam uma série de manifestações de apoio ao imperador para comemorar a sua chegada ao Rio de Janeiro. Em meio às fogueiras, às festas, às girândolas, instaura-se um clima completamente hostil e preconceituoso contra os brasileiros. Nesse início de março de 1831, o clima político se eleva novamente da brasa para o fogo, e os fatos se precipitam.

No calor da hora, um grupo de rapazes brasileiros marchou pelas ruas, em meio às festividades, dando "vivas à Constituição, à liberdade, à Assembleia Geral, à imprensa livre, aos brasileiros, ao imperador enquanto constitucional".[10] Os portugueses contra-atacaram gritando "viva o imperador, vivam os bons portugueses". Atacaram ainda, a pedradas, a sede do *Aurora Fluminense,* situada na Rua da Quitanda. Quando ambos os grupos se encontraram, o conflito foi inevitável e desembocou, nessa noite de 13 de março, num intenso conflito que passou para a história como *Noite das Garrafadas.* Esse episódio foi o auge que atingiu a antiga animosidade que permeava as relações entre portugueses e brasileiros na cidade do Rio de Janeiro.

O ato impensado dos portugueses foi um tiro que saiu pela culatra, pois a partir desse momento a incompatibilidade chega ao clímax e desencadeia um verdadeiro temporal, que não se vai dissipar nos dias seguintes e adentrará o mês de abril. Falava-se abertamente pelas ruas e cafés do Rio de Janeiro sobre uma possível revolução e até em República, coisa que até então ninguém jamais havia cogitado, dado o imenso capital social de D. Pedro I. No entanto, se cogitar a República era demasiado utópico, exigia-se no mínimo a queda do ministério, composto por políticos portugueses, e a libertação de todos os brasileiros presos no episódio das garrafadas.

Diante da situação de tensão e conflito iminente que se instaurou, um grupo de políticos e empresários brasileiros envia, no dia 18 de março de 1831, uma representação ao imperador nestes termos: "Os representantes da Nação abaixo assinados, doídos profundamente dos acontecimentos que tiveram lugar nesta capital por ocasião dos festejos que se dispuseram não tanto para solenizar o regresso de Vossa Majestade Imperial como principalmente para ludibriar e maltratar aos brasileiros, que foram de fato cobertos de opróbrios pelo partido lusitano, que se insurgiu de novo no meio de nós [...] entre morras sediciosos e violências de todo gênero de que têm sido vítimas alguns patriotas, cujo sangue foi derramado [...] por homens claramente protegidos pelo governo e pelas autoridades. As circunstâncias são as mais urgentes e a menor demora pode, em casos tais, ser funestíssima. A confiança, que convinha ter no governo, está quase de todo perdida, e se porventura ficarem impunes os atentados, importará isso uma declaração ao povo brasileiro de que lhe cumpre vingar ele mesmo, por todos os meios, a sua honra e brio tão indignamente maculados. A ordem pública, o repouso do Estado, o trono mesmo, tudo está ameaçado se a representação não for atendida."[11]

Diante das circunstâncias, o imperador, a muito custo, resolve ceder. Destitui o ministério português e institui um ministério brasileiro. No dia 5 de abril, porém, um revés faz com que o movimento contra o predomínio dos elementos portugueses — e contra o imperador, consequentemente — tome corpo. Novamente, num rompante, ele destitui o ministério brasileiro e restitui o português, numa clara demonstração de instabilidade emocional e de abuso do poder pessoal.

Diante disso, inflamado e manobrado pelos políticos e por setores dominados por militares, o povo inicia uma concentração no Campo de Santana. Aos poucos, a aglomeração de civis e militares aumenta. Ninguém arreda pé, mesmo sem saber ao certo o que fariam a partir dali.

No dia 6 de abril de 1831, Evaristo da Veiga lança uma edição do *Aurora Fluminense* com o intuito de reanimar as chamas da revolução que partira do Campo de Santana. Diz no editorial: "Uma circunstância havia para que a cólera do povo brasileiro fosse mais forte, mais profunda contra o poder do que toda a que mostraram os franceses por Carlos X. O amor-próprio nacional tem sido no Brasil pisado pelo partido de quem governa. Das suas ações, os seus movimentos, as suas menores palavras, tudo é antinacional, tudo revela o desprezo e a aversão por esta terra que se rebelou."[12]

Já não havia mais como contornar os fatos, não havia mais o que fazer, só a revolução contra os resquícios portugueses que rondavam como fantasmas do passado o país recém-independente. Nesse sentido, o dia 7 de abril de 1831 marca o início de uma época conturbada no Brasil, que vai cair novamente do fogo para a brasa apenas a partir do mês de julho de 1840, ou seja, quase dez anos depois, quando o herdeiro do trono, D. Pedro II, de 15 anos, assumir o comando do Brasil. E da brasa para as cinzas somente a partir da década de 1850, quando o jovem imperador porá em marcha um projeto de nação.

3

A SEGUNDA INDEPENDÊNCIA DO BRASIL: 7 DE ABRIL DE 1831

Na noite do dia 7 de abril de 1831, já com o seu reinado agonizante, D. Pedro I insistia em não ceder às circunstâncias. Se de um lado da praça o povo, os políticos brasileiros e os militares exigiam uma decisão do imperador, do outro, no Palácio de São Cristóvão, D. Pedro I permanecia impertinente e intolerante. Ainda completamente inseguro, também não arredava o pé.

Tudo estava armado para acabar num conflito sem precedentes. O impasse estava criado, e nenhuma das partes recuava. Tudo passou para o plano da questão de honra. Na visão dos descontentes que remoíam seus ressentimentos desde a dissolução da Assembleia Constituinte em 1824, era hora de se vingar de D. Pedro I e, portanto, dos portugueses; na visão do imperador, a questão era uma só, não permitir que se encerrasse ali a história da Monarquia no Brasil.

As manifestações continuavam nas ruas. Militares de praticamente todos os batalhões estavam na praça com os manifestantes, inclusive alguns comandantes. Somente o Batalhão do Imperador continuava leal e montava guarda no Palácio de São Cristóvão.

Para ter certeza da lealdade de seus homens e saber como andavam as coisas no Campo de Santana, D. Pedro I consulta o Major Luís Alves de Lima e Silva, futuro Duque de Caxias, que naquele início de noite lhe responde sinceramente que "os soldados da maior parte dos corpos que se achavam no Campo de Santana estavam contaminados do espírito anárquico, porém não assim o Batalhão do Imperador e a artilharia montada".[13]

Quem comandava o batalhão era o tio de Caxias, Coronel Manuel de Lima e Silva, que se encontrava na praça, junto com os outros oficiais. Participando do protesto, mas também assuntando até que ponto a temperatura subiria. Temendo ser abandonado pelo seu próprio batalhão, D. Pedro I convoca Caxias para uma conferência e o questiona sobre quais seriam as possibilidades, se ele se tornasse o comandante do batalhão, no lugar de seu tio, de a tropa manter fidelidade. O jovem Caxias responde que: "o espírito de rebelião lavrava na maioria dos oficiais do corpo, e tanto assim era que os anarquistas, contando com essa maioria, nem ao trabalho se haviam dado de perverter os soldados".[14]

Com isso, segundo Afonso de Carvalho, biógrafo de Caxias, ele estaria dividido por dois sentimentos distintos: de um lado, Caxias, "como brasileiro e sensível ao ambiente revolucionário e nacionalista criado pelos seus oficiais no batalhão [o pai e o tio] deixa ver claramente que toda oficialidade está com o cérebro no Campo de Santana"; de outro, porém, diz ao imperador que, se "Sua Majestade apelar para a lealdade do soldado, ele, por um dever especial, não poderá negá-la e, indo além, chega a indicar a própria solução do problema militar".[15]

Começa assim o diálogo entre Caxias e o imperador:

Caxias: "Se Vossa Majestade quiser debelar o movimento, nada mais fácil. Bastará seguir nesta mesma noite para a Fazenda de Santa Cruz e ali reunir milícias, à frente das quais estou pronto para me colocar, devendo estacionar no Campinho os postos avançados. Se, porém, adotar esse alvitre, deverá ser acompanhado de um decreto, concedendo baixa a todos os soldados de primeira linha que a quiserem; pois, feito isso, dentro de vinte e quatro horas os oficiais se acharão a sós."[16]

Se fosse realmente partir para a resistência, não havia muito tempo a perder, mesmo assim D. Pedro I passou algumas horas pensativo. Essa demora em tomar decisões se explica, talvez, pelo fato de já ter o imperador a certeza de que tudo se arranjaria da melhor forma possível. O questionamento ao jovem Caxias pode ter sido também fruto de sua insegurança, querendo testar até que ponto os seus homens de confiança, embora estivessem na praça com os demais, ali estavam para fazer com que tudo se arranjasse sem maiores consequências.

A proposta de resistência feita por Caxias devolveu aos pés do imperador o chão que por algumas vezes, na incerteza dos acontecimentos, certamente havia desaparecido. A certa altura da noite, sem maiores explicações, D. Pedro I convoca Caxias e lhe diz que o expediente proposto por ele [a resistência] era digna dos Lima e Silva e, altivo, acrescentou logo em seguida, para a surpresa de todos, "siga o major a sorte dos seus camaradas reunidos no Campo de Santana".[17]

Depois de desobrigar o jovem Caxias do dever da lealdade, D. Pedro I teria justificado do seguinte modo a decisão surpreendente: "Não quero que por minha causa se derrame uma só gota de sangue brasileiro."[18]

Com essa decisão, D. Pedro I parecia ter entregado os pontos, mas ainda permanecia oscilante entre o que poderia e o que deveria realmente ser feito naquele momento.

No meio da madrugada, o General Francisco de Lima e Silva, pai de Caxias, resolve ir falar com o imperador. Certamente o intuito era aconselhá-lo de que num momento de crise às vezes era necessário dar um passo atrás para poder dar dois para a frente. Era preciso que alguém abrisse os olhos de D. Pedro I, ainda claudicante, para essa verdade singela. Nessa noite, estando o imperador praticamente isolado e com a Monarquia correndo sério risco de ruir, o General Francisco de Lima e Silva fez com que algo acontecesse.

Essa conversa entre o comandante das armas e o Imperador D. Pedro I, já no meio da madrugada, foi decisiva para que o imbróglio causado pelo sequestro do Campo de Santana pelos civis chegasse ao fim. Como não houve testemunha e como nenhum dos dois jamais falou ou escreveu sobre o que se passou naquela longa conversa numa sala isolada no Palácio de São Cristóvão, jamais saberemos de fato o que trataram.

No entanto, seguindo alguns indícios é possível deduzir o que foi tratado, sobretudo por meio da sequência dos acontecimentos a partir dali.

Antes desse exercício de imaginação, é importante dizer que, depois da tal conversa, de volta à praça, no meio da madrugada, o General Francisco de Lima e Silva faz um pronunciamento no Campo de Santana e determina algumas ações. Primeiro dá ordem "ao Coronel Manuel de Lima e Silva [seu irmão] para apresentar-se com o seu batalhão no Campo de Santana. O coronel, obedecendo ao general, determina ao Major Luís Alves de Lima e Silva [seu sobrinho] que pusesse a tropa em marcha. O major, obedecendo ao coronel, põe em marcha o Batalhão do Imperador rumo ao lugar designado".[19]

Em seguida, o General Francisco de Lima e Silva ordena a Miguel de Frias, comandante da Fortaleza de São José, na Ilha das Cobras, que leve, em nome do povo brasileiro e do Exército, um *ultimatum* ao imperador. Quando recebe resignadamente o documento, sem ter para quem apelar, visto que o seu batalhão pessoal acabara havia pouco de marchar rumo à praça, aliás com o seu consentimento, D. Pedro I assina o ato da abdicação, que é levado imediatamente ao povo na praça.

A segunda Independência do Brasil estava decretada. No outro dia, depois de algumas providências e sem grandes preparativos, o imperador embarcaria para Portugal.

4

UMA REVOLUÇÃO À BRASILEIRA: MUDAR PARA DEIXAR TUDO EXATAMENTE COMO ESTAVA

O General Francisco de Lima e Silva foi homem-chave durante todo o Primeiro Reinado. Desde 1822, prestava fielmente serviços para o Imperador D. Pedro I. Depois do episódio da dissolução da Assembleia Constituinte e da Constituição outorgada de 1824, havia debelado várias rebeliões — a Confederação do Equador, como vimos, a mais importante. Não seria nesse momento que fugiria à luta.

Na noite da abdicação, 7 de abril de 1831, todo o aparato de segurança do país estava nas mãos dos Lima e Silva. Se realmente estivessem do lado dos civis e quisessem ferir de morte a Monarquia, poderiam ter marchado do Campo de Santana até o Palácio de São Cristóvão. Poderiam ter prendido o imperador sem a mínima dificuldade, sem nenhuma resistência. Poderiam até tê-lo banido do país ou mesmo matado, como era o desejo de alguns, inspirados pelos ares da Revolução Francesa. Poderiam, inclusive, como havia sido a norma em todas as outras nações latino-americanas, ter proclamado a República, já que o Imperador D. Pedro I não tinha herdeiro, salvo o menino Pedro, que contava apenas 5 anos na ocasião. Mas... por que nada disso ocorreu?

Aqui é que está a chave para decifrar o encontro que tiveram na madrugada do dia 7 o general e o imperador. Fica claro que nessa conversa toda uma encenação havia sido ensaiada por dois motivos: primeiro, para dar uma resposta aos apelos da sociedade civil e acalmar o ânimo dos mais exaltados; segundo, para fazer com que os acontecimentos seguissem, sem maiores atropelos, para onde deveriam seguir, e para o final que deveriam ter.

Nessa noite, na conferência com o imperador, o general comunicou que ele tinha uma convicção, que era compartilhada pelos políticos e por todos que se encontravam amotinados no Campo de Santana, ou seja, a convicção de que uma transição era necessária. Primeiro, para atender ao desejo dos brasileiros, e segundo, para salvar a pele da Monarquia. No entanto, todos estavam unânimes em dar garantias ao imperador de que tudo ocorreria sem derramamento de sangue e, o mais importante, sem quebra de hierarquia social, política e militar.

Uma revolução que praticamente fundaria o estilo brasileiro de fazer mudanças políticas, ou seja, mudar para deixar tudo exatamente como estava. Salvo o imperador, que deveria "tirar férias", longe do Brasil, de preferência. Com isso, os estrategistas haviam movido com destreza as peças no tabuleiro do xadrez. O xeque-mate viria com o tempo, no decorrer daqueles dias.

O primeiro indício de que uma conspiração havia sido costurada naquela conversa no Palácio de São Cristóvão é a guinada extraordinária no comportamento do imperador entre o final da tarde de 7 de abril e a madrugada do dia 8. No início da noite do dia 7, ainda se sentindo acuado, D. Pedro I mostrava-se irredutível. Não restituiria o ministério constituído por políticos brasileiros, que acabara de destituir, como também não aceitaria nenhum tipo de negociação com quem quer que fosse, mesmo sabendo que parte do Exército se havia debandado para o lado dos civis. O quadro muda completamente na madrugada do dia 8, depois da conversa com o General Francisco de Lima e Silva. O que teria feito com que o imperador mudasse radicalmente de opinião?

O segundo indício é o seguinte: por que o Batalhão do Imperador, que, como vimos, havia declarado lealdade a ele e tinha, aliás, por intermédio do Major Luís Alves de Lima e Silva, dado a D. Pedro I a fórmula para debelar aquela rebelião, logo após a conversa do palácio, decidiu imediatamente, e só então, abandonar o imperador e se juntar ao povo na praça?

O terceiro indício de conspiração é a própria conversa, ou seja, por que teria a questão se resolvido e as tempestades se dissipado de forma tão instantânea após aquele encontro? É claro que um acordo havia sido costurado ali.

A questão principal que fazia o imperador ficar intolerante e relutante era certamente a de como ficaria a situação da Monarquia após a sua abdicação e partida para Portugal, como queriam os brasileiros, se o herdeiro do trono era uma criança de 5 anos.

Era a hora de o general entrar com a sua parte no plano conspiratório, tranquilizar o monarca e tirar dele a assinatura do ato da abdicação. Pelo que ocorreu na sequência dos fatos após a abdicação, fica clara qual foi a estratégia articulada pelo general na conversa com o imperador.

Certamente, primeiro, haviam sido dadas ao imperador todas as garantias de que não seria proclamada a República, como não foi. Segundo, foi-lhe garantido que o herdeiro do trono seria sagrado imperador, mesmo com seus 5 anos, e que, para o país não ficar acéfalo, uma regência seria instituída até que o pequeno príncipe crescesse e pudesse reunir condições mínimas para assumir o poder, como de fato ocorreu. Terceiro, como não havia por parte do imperador confiança em ninguém mais além do

General Francisco de Lima e Silva, ficou acertado entre eles que o regente seria o próprio general, como de fato também ocorreu. Diante desse quadro promissor, e só então, D. Pedro I abdicou do trono.

Amainados os ânimos e selados os acordos, o dia seguinte foi de pura festa. Segundo relatos da época: "O pequeno Imperador D. Pedro II é conduzido à cidade num coche puxado pelo povo e acena para todos com um lencinho branco. Sinos, clarins e foguetes enchem o céu claro da Guanabara. Forma-se grande cortejo cívico. Vem à frente os juízes de paz, a cavalo, empunhando grandes bandeiras verdes, desfraldadas ao vento. Seguem-nos os cidadãos, todos bem-vestidos e com os braços entrelaçados em sinal da mais estreita união."[20] Isso é o que se pode chamar de uma verdadeira mudança de clima, da água para o vinho, na capital do Império, em poucas horas.

A conspiração havia triunfado.

A fúria do povo na noite anterior havia se transformado em celebração. O consenso fabricado em torno da ideia de que uma mudança significativa havia ocorrido ganhou logo a adesão até dos mais inflamados, como é o caso de Evaristo da Veiga e do seu *Aurora Fluminense.* Na sexta-feira, dia 8 de abril, por exemplo, publica um texto em que diz: "Uma revolução assombrosa por seus amplos efeitos e pela marcha que tem seguido ocorreu no Brasil."[21] A abdicação de D. Pedro I está a anos-luz de ser considerada uma revolução. Foi, obviamente, mais um arranjo do que uma mudança brusca. Mais uma continuidade, uma permanência, do que uma ruptura. Mas era preciso convencer o povo.

No dia 11 de abril, o mesmo *Aurora Fluminense* lança um editorial em que louva o nome dos homens indicados para a regência: "As pessoas nomeadas para tão importante cargo têm vossa confiança, patriotas sem nódoas, eles são amigos ardentes de nossa liberdade."[22] Segue então um discurso profundamente cívico: "No dia 7 de abril de 1831 começou a nossa existência nacional. O Brasil será dos brasileiros, livre."

Depois de feita a revolução e do país independente, era preciso formar o consenso agora em torno do menino imperador. Nesse sentido, o *Aurora Fluminense* publicou a seguinte conclamação: "Concidadãos, já temos pátria, temos um Monarca símbolo da vossa união e da integridade do Império."[23]

Embora nos discursos parecesse haver congraçamento generalizado e unanimidade em torno do rumo que ganharam os acontecimentos, na verdade havia os descontentes, e muitos, que não arredaram pé do chamado Campo da Honra e que foram ignorados pela história oficial.

Mas é, contraditoriamente, nos discursos mais ufanistas dos jornais que eles, os descontentes, ganham vida. Tais discursos tinham a função de disseminar a concórdia e cobrir as vozes de uma legião de pessoas que permanecia no Campo da Honra, certamente com o sentimento de que a "revolução" de que falavam os ufanistas havia na verdade acabado em pizza e que, portanto, a luta deveria continuar.

No dia 13 de abril, a publicação no *Aurora* de um comunicado do Sr. José Joaquim de Lima e Silva dá uma pista de que o clima ainda estava convulsionado e que havia dissidentes. O título, escrito em letras garrafais, diz tudo: ORDEM. No texto, lê-se: "Os honrados cidadãos que tão briosamente se apresentaram no Campo da Honra para defender as liberdades pátrias se devem a tudo sujeitar ao que lhes determinarem as autoridades reconhecidas por tais."[24]

Se a necessidade de se atingir a ordem aparece de forma tão recorrente nos discursos, é sinal de que havia alguns espíritos inflamados e que a festa propalada pelos jornais era para esconder as rusgas decorrentes de uma falsa harmonia instaurada a fórceps.

Havia muitos interesses em jogo. Uma república era algo inteiramente incerto. A manutenção do regime era conveniente, pois compactuava com tudo de mais estagnado na sociedade brasileira e que poderia ser enxotado pela república. Incluído, principalmente, o tráfico de escravos, que movimentava fortunas, a escravidão, consequentemente, o poder dos fazendeiros, a monocultura etc.

Com o tempo, apenas uma pequena parcela daqueles revoltosos do Campo de Santana seguiu com ideias contestatórias. Entre eles, Miguel de Frias, o homem que arrancou das mãos do Imperador D. Pedro I a assinatura do ato de abdicação e levou ao povo na praça. Eles perceberam que a abdicação de D. Pedro I naquela noite de 7 de abril não havia passado de uma conspiração para manter o *status quo*, os privilégios e o poder nas mãos daqueles que usufruíam da Monarquia. Esse ressentimento explodiria em revoltas nos anos seguintes.

Por aqueles dias, quando o Senado se reúne para eleger os regentes, o General Francisco de Lima e Silva é o primeiro a ser eleito por unanimidade. Outra unanimidade, que surge na necessidade de que os interesses das classes dirigentes permanecessem intocados, era de que nada deveria mudar.

5

A TROPA DE ELITE DO IMPERADOR D. PEDRO II

No dia 13 de abril de 1831, o comandante de armas José Joaquim de Lima distribuiu pelos batalhões um comunicado com o claro desejo de instaurar congraçamento entre os homens, em que se anunciava: "Bravos defensores da pátria, estão completos todos os nossos votos. Amados cidadãos, é tempo de descansar as armas, que nos cobriram de glória, sem que fossem manchadas com sangue do nosso inimigo: transportados de alegria, corramos aos nossos lares e nos braços das ternas esposas e dos caros filhos. Ide, pois, descansar tranquilos, e contai certos com a vigilância do governo, que é da vossa confiança e brasileiro: conservai sempre em vossos corações a Constituição jurada, respeitai as autoridades constituídas e obedecei à lei para que nossa obra seja completa e nossa felicidade, permanente. Sede incansáveis em conciliar os ânimos, chamando-os à ordem, e fazendo com que uma só seja a vontade de todos."[25]

É notório o esforço para criar a impressão de que, com a abdicação de D. Pedro I, uma mudança brusca havia ocorrido no cenário político brasileiro. Era preciso criar a ideia de que o dever já estava cumprido e era, portanto, tempo de voltar para casa, para a normalidade da vida cotidiana, era tempo de "descansar as armas" e de, sobretudo, "respeitar as autoridades constituídas e obedecer à lei".

Outras manifestações estavam programadas no roteiro de fabricação do consenso. Era preciso ainda conter o ânimo dos mais exaltados e fazer florescer a cada dia o espírito conciliatório. Não por acaso, se vasculharmos as páginas do — até alguns dias antes — vociferante *Aurora Fluminense*, entre 9 e 13 de abril de 1831, as palavras e expressões mais recorrentes nos discursos são as seguintes: "disciplina", "obediência às ordens", "que uma vitória tão bela não seja maculada", "vamos rejeitar todos os excessos", "tudo agora depende de nossa prudência e moderação", "viva a nação brasileira! Viva a Constituição, viva o Imperador Constitucional, o Sr. D. Pedro II".

A verdade nua e crua: rigorosamente nada havia mudado.

No dia 15 de abril, uma parada militar saiu em desfile do Campo de Santana para comemorar o sucesso dos acontecimentos. Era preciso demonstrar ao povo que aquelas mesmas armas que se haviam rebelado contra o reinado do Imperador D. Pedro I agora davam mostras de sua lealdade ao Segundo Reinado e ao novo imperador, o menino D. Pedro II, legitimando-o.

Nessa esteira de legitimação do Segundo Reinado, no mês de maio, um novo aparato repressor foi criado: a *Sociedade Defensora da Liberdade e Independência Nacional*. Rondas noturnas de aproximadamente 25 a 30 homens foram criadas para circular pela cidade e conter qualquer tipo de tumulto e distúrbio de natureza política ou não. Tudo deveria seguir o roteiro, toda voz descontente deveria ser calada, e o véu da normalidade deveria cobrir a vida cotidiana.

A bordo do navio inglês *Warspite*, o Imperador D. Pedro I seguia para a Europa tranquilo e certo de que em breve, assim que os ânimos estivessem amainados em Portugal, voltaria para reassumir o trono do Brasil e preparar o filho para o Segundo Reinado. Os sonhos restaurados não durariam muito, pois ele morreria em Portugal, em 1834.

Embora a tutela do jovem Imperador D. Pedro II tenha ficado a cargo de José Bonifácio de Andrada e Silva, depois substituído por Manuel Inácio de Andrade Souto Maior Pinto Coelho, foi o General Francisco de Lima e Silva que, com o infortúnio do Imperador D. Pedro I, ganhou mais um filho. Claro que os serviços prestados para a Monarquia fizeram dele um dos maiores e mais prestigiados credores na sociedade de troca de favores que vicejava no Brasil no século XIX. Prática que até os dias de hoje insiste em permanecer e que se transformou num problema crônico no país.

Mas é por essas e outras razões que D. Pedro II e o futuro Duque de Caxias se tornariam, como veremos, parceiros de uma vida.

6

DUQUE DE CAXIAS E D. PEDRO II: PARCEIROS DE UMA VIDA

Filho do Brigadeiro Francisco de Lima e Silva, regente do Império e um dos homens-chave no processo que desembocou na abdicação de D. Pedro I, Caxias entrou para o Exército ainda muito jovem. Em 1822, recém-proclamada a Independência do Brasil, passou a fazer parte, como coronel, do chamado Batalhão do Imperador, um destacamento de elite, em que Caxias aprendeu, sobretudo, a cultivar a sua fidelidade à Monarquia.

Com a família elevada à cúpula do Exército brasileiro, além do pai regente, os tios José Joaquim de Lima e Silva e Manoel da Fonseca de Lima e Silva, respectivamente elevados à condição de Comandante de Armas da Corte e do Ministério da Guerra, em 1832, Luís Alves de Lima e Silva assume o posto de comandante das Guardas Municipais Permanentes, em que ficaria até 1839.

Essa guarda seria nada mais, nada menos do que a responsável pela repressão aos movimentos de rua, que assolaram o Rio de Janeiro imediatamente após e nos anos seguintes à abdicação. Era a tropa de elite do imperador. Foi assim que ao jovem Caxias foi destinado o papel de despertar nas desigualdades sociais e ideológicas que coabitavam na cidade, à força, o congraçamento e o espírito da ordem e da conciliação. Sem esse esforço de Caxias, certamente a ideia antimonarquista teria avançado, e as consequências teriam sido imprevisíveis. Papel que desempenhou com extrema competência.

Com a repressão a ferro e fogo aos levantes do Rio de Janeiro e com o pai e os tios já envelhecidos, assumindo cargos cada vez mais burocráticos, Caxias ganhou notoriedade e esteve na linha de frente nas inúmeras rebeliões que sacudiram o Brasil entre as décadas de 1830 e 1840. Esteve no Maranhão, combatendo os Balaios, esteve em São Paulo, em Minas Gerais e no Rio Grande do Sul, combatendo a Revolução Farroupilha. Era pau para toda obra. Onde houvesse alguma manifestação contra a lei e contra o rei, Caxias estava lá, lutando como um leão faminto para defender os interesses da Monarquia e a legitimidade do Segundo Reinado.

Com o tempo, os movimentos contestatórios foram todos sufocados, e a imensa troca de favores que grassava na sociedade brasileira desde o período regencial foi cooptando alguns e impondo as regras do jogo para outros. Aos amigos, tudo; aos inimigos, a força da lei. Como se pode ver, analisando certos aspectos da sociedade brasileira contemporânea, há coisas que não mudam nunca.

À medida que amadurecia, depois do golpe da maioridade que o tornou rei em 1840, aos 15 anos, D. Pedro II passou a imprimir o seu perfil pessoal ao Segundo Reinado, contando, para isso, incondicionalmente, com o apoio de todos.

No dia 23 de março de 1846, Caxias desembarcou no Rio de Janeiro, logo após debelar a Revolução Farroupilha, a última contestação desse período inicial do Segundo Reinado. Retornou à Corte para assumir a cadeira vitalícia no Senado brasileiro, o primeiro presente recebido do Imperador D. Pedro II como gratidão pelos imprescindíveis serviços prestados à Monarquia durante todos aqueles anos. Muitos outros serviços e presentes, como veremos, ainda estavam por vir.

Voltando a 1831, a aparente calma e normalidade nas quais a vida na sociedade foi envolvida não escondiam, no entanto, os descontentamentos e as manifestações, que não cessaram. Uma delas haveria de proporcionar ao futuro Duque de Caxias um batismo de fogo.

Passados alguns meses da abdicação, em setembro de 1831 Caxias foi responsável por debelar uma manifestação de oficiais do Exército no Teatro Constitucional Fluminense, hoje Teatro João Caetano. A diligência redundou na prisão do líder da manifestação, ninguém menos que Miguel de Frias, um dos mais inconformados com os acontecimentos passados.

A história entre Caxias e Frias daria um capítulo à parte, pois os dois seguem se encontrando até o final da vida, ora de lados opostos, ora combatendo juntos um inimigo comum.

Foi assim que, estando preso no calabouço da Ilha das Cobras, Miguel de Frias teve tempo suficiente para organizar e articular uma revolta que, nos planos dele, levaria à queda da Monarquia e à República. Revoltado com o engodo que havia sido a encenação da abdicação de D. Pedro I, quando tudo permanecera exatamente como já estava, e eufórico pela consideração que ganhara no meio militar, depois de ter sido o responsável por arrancar das mãos do imperador a assinatura do ato de abdicação e de tê-la levado até a praça, para o povo, Frias achava que, se tomasse a frente numa revolta, certamente poderia contar com o apoio dos setores descontentes dos batalhões.

Em 3 de abril de 1832, às vésperas de se completar um ano da abdicação de D. Pedro I, o Comandante Miguel de Frias iniciou, junto com outros quatro detentos, que ele havia cooptado na cadeia, uma rebelião na Fortaleza de São José, na Ilha das Cobras. Prendeu o comandante e conquistou a Fortaleza de São Francisco Xavier, na Ilha de Villegagnon. Investiu ainda contra a Fortaleza de Santa Cruz da Barra, na entrada da Baía de Guanabara.

Diante desse quadro, com uma verdadeira revolução republicana em marcha, era a hora de a tropa de elite do jovem imperador entrar no assunto.

Nesse momento, comandada pelo futuro Duque de Caxias, a Guarda Municipal se articula e invade a ilha. A debandada foi geral. Um militar morreu, o Marechal Peixoto, que seria, depois de encerrado o conflito, usado como símbolo da resistência a qualquer anarquia que ousasse ir de encontro à ordem estabelecida.

Mas o Comandante Frias, munido de uma peça de artilharia e vários homens, conseguiu desembarcar na Praia de Botafogo e rumou para o Campo de Santana a fim de proclamar a República. Diante de um caraminguá de gente que circulava por ali, ele a proclamou de fato. Porém, não por muito tempo, pois Caxias já estava de novo no seu encalço. Os fatos que se seguem ao cerco de Caxias ao Campo de Santana são cenas de uma comédia-pastelão.

O roteiro é o seguinte: na cena de abertura, os populares que se juntaram na empreitada de Frias se desarticulam ao som dos primeiros tiros disparados pela tropa de elite comandada por Caxias. Foram seguidos, na fuga, pela tropa articulada por Frias na prisão, que também fugiu em debandada. Na segunda cena, a questão fica então restrita a Caxias e Frias, e se desenrola da seguinte forma: "Caxias sai em sua perseguição. Um popular tenta alvejar Caxias com um tiro de pistola. Caxias, para não ser atingido, atira-se violentamente para um lado. O cavalo cai. O cavaleiro não se dá por vencido, monta novamente e sai a galope. Na Rua do Areal, um magote de gente denuncia-lhe ter se escondido numa das casas da rua, residência do desembargador Nabuco [...] Caxias entra na casa. Vê um quarto fechado. Abre-o. Percebe que nele se encontra

Miguel de Frias. Retira-se sem dar uma ordem, sem pronunciar uma única palavra, diante do assombro de todos."[26]

Na terceira cena, o *gran finale*: com a brecha dada por Caxias, Frias foge para os Estados Unidos, para retornar apenas dez anos depois, em 1842, quando, surpreendentemente, é convidado por Caxias para servir como comandante na Guerra dos Farrapos. É Caxias ainda quem vai lutar contra a vontade do governo para conseguir para Frias, finda a Guerra dos Farrapos, a patente de general.

Esse é apenas um exemplo do nível do engajamento de Caxias na manutenção da ordem até que o jovem D. Pedro II pudesse assumir o trono, aos 15 anos, em 1840. É por essa e por tantas outras que Luís Alves de Lima e Silva, o futuro Duque de Caxias, vai tornar-se uma dessas figuras cujo nome estará intrinsecamente ligado ao Segundo Reinado no Brasil do início ao fim.

No começo do Segundo Reinado, primeiro porque o pai, o Brigadeiro Francisco de Lima e Silva, como vimos, foi um dos regentes da Regência Trina Provisória e mais tarde da Regência Trina Permanente, e segundo porque o próprio Caxias assumiu o comando da tropa de elite do imperador. Nesse cargo, será o grande responsável pela dissipação dos movimentos contestatórios, republicanos e separatistas que se pulverizaram pelo país logo após a abdicação de D. Pedro I, quando D. Pedro II era ainda apenas uma criança e viu-se do dia para a noite feito Imperador do Brasil.

E no final do Segundo Reinado porque, com a enorme admiração que Caxias havia acumulado ao longo dos anos no Exército brasileiro, por respeito a ele, seria apenas somente depois de sua morte, em 1880, que o Exército se sentiria à vontade para articular qualquer movimento contra a Monarquia e contra o imperador.

Embora sempre houvesse rumores e fosse notória a posição de alguns quadros do Exército tendendo para o republicanismo, nenhum movimento foi sequer ensaiado enquanto Caxias, mais tarde decretado patrono do Exército, esteve ao lado do imperador.

O imperador sempre soube dessa proteção que recebia, assim como temeu também quando Caxias morreu e os tempos se tornaram mais nebulosos. Não seria, portanto, mera coincidência que menos de uma década após seu falecimento a Monarquia ruísse completamente, ferida de morte por setores da sociedade apoiados amplamente pelo Exército.

A situação política no Brasil no período das Regências, como se pode imaginar, foi tensa. E é exatamente nesse cenário que o papel representado por Luís Alves de Lima e Silva vai ser fundamental para o equilíbrio e a manutenção do pacto firmado entre o seu pai e o pai do menino imperador em torno da manutenção do regime monárquico no Brasil.

Desse modo, é Caxias que vai criar ou comandar todo o aparato repressivo que, ao longo do tempo, implantará com eficiência um clima menos convulsionado na sociedade brasileira. Esse papel o alçará, evidentemente, como já havia alçado o pai, à condição de um dos maiores credores no universo dos favores que seriam concedidos ao longo do tempo pelo futuro Imperador D. Pedro II.

A GUERRA ENTRE DOIS MUNDOS

assadas as tormentas internas, as externas voltaram a perturbar a paz do Império brasileiro. Uma dessas tormentas tinha um nome de peso: Inglaterra.

A Inglaterra sempre soube aproveitar-se dos favores que prestava ao Brasil. Foi assim em 1808, quando escoltou o príncipe D. João e a Corte portuguesa, fugidos de Napoleão, e ganhou em troca a chamada abertura dos portos a todas as nações amigas. Ato que teria sido um dos primeiros ordenados por D. João logo que aqui chegou.

Foi também a Inglaterra uma das primeiras nações a reconhecer e avalizar a Independência do Brasil em 1822. Em um tratado assinado em 1826, além de formalizar o reconhecimento da Independência, fez o Brasil endossar os acordos para cessar o tráfico e a escravidão, não evidentemente, como veremos a seguir, imbuída por um espírito altruísta e humanista, mas sim pelo espírito pragmático típico dos ingleses. Por tudo isso a Inglaterra se sentia mais do que parceira do Brasil. Comportava-se como uma espécie de sócia, palpitando e às vezes até intervindo nos negócios internos do país.

Naqueles tempos, a Revolução Industrial, que se desenvolvia na Inglaterra em ritmo alucinante, mudou a história do Brasil em dois sentidos. Primeiro porque provocou o deslocamento da economia brasileira do Nordeste e do açúcar para o Sudeste e para o café. Essa mudança, no entanto, não alterou a estrutura da produção que no Sudeste, assim como havia sido no Nordeste, continuaria a ser baseada no latifúndio, na monocultura e no trabalho escravo. Segundo porque a produção de excedente para exportação em grande escala, na Inglaterra, impulsionada pela implementação de maquinários que duplicavam, triplicavam a capacidade das fábricas, exigia a criação de mercados consumidores cada vez mais vorazes.

O fim do trabalho escravo no Brasil e a sua substituição pelo assalariado, ambicionavam os ingleses, criariam no país um amplo mercado consumidor para os seus produtos industrializados.

A contradição dessa história toda é que a demanda pelo café brasileiro, estimulante para os exauridos trabalhadores das fábricas inglesas, havia lançado lenha na fogueira do tráfico negreiro, que no Brasil, depois da pressão dos ingleses, fora proibido desde 1831. Essa lei declarava livres todos os escravos vindos de fora do Império. Sobre os traficantes pesaria o artigo 179 do Código Criminal Brasileiro, que estipulava multa de 200 mil réis e o pagamento das custas da repatriação dos escravos desembarcados.

Essa lei criou entraves e obstáculos importantes aos traficantes, a ponto de ao menos um deles, Bernardo Pereira de Vasconcelos, propor, em 24 de junho de 1835, uma emenda à lei de 1831 imposta pelos ingleses. Os interesses ligados à lavoura eram tão poderosos, que a lei, como tantas outras ainda em nossos dias, simplesmente... não saiu do papel, não pegou.

A lei imposta foi responsável pela criação no vocabulário brasileiro de um jargão, reproduzido até hoje: "para inglês ver".

O significado dessa frase ainda é exatamente o mesmo do espírito das leis anteriores a 1850, ou seja, algo que é feito apenas com efeito cosmético, para camuflar, não para ter funcionalidade, mas para cumprir apenas uma exigência de terceiros, uma mera formalidade, mais uma burocracia. Assim como a lei de 1989, que tipifica o racismo como crime hediondo. Dificilmente veremos alguém preso no Brasil por racismo.

As visões diametralmente opostas de brasileiros e ingleses sobre a questão da escravidão geraram soluções também diametralmente opostas para o problema da escravidão.

A solução inglesa foi no seguinte sentido: irados com a vista grossa do Brasil diante, sobretudo, da questão do tráfico negreiro, eles resolveram apertar o cerco. O cerco contra o Brasil se fecha em 8 de agosto de 1845, quando a Inglaterra decide, unilateralmente, decretar a Bill Aberdeen. Essa lei proibia o tráfico de escravos no Atlântico Sul e criava a jurisdição para que os navios ingleses, que já agiam clandestinamente, abordassem legalmente navios suspeitos em mares e portos do Brasil. Em mais de uma ocasião, navios ingleses não só violaram o espaço marítimo brasileiro, abordando navios em alto-mar, como violaram a soberania nacional abordando navios já ancorados em portos brasileiros.

Indignado com tal expediente, o ministro da França relata às autoridades do seu país a situação constrangedora imposta ao Brasil com a criação da lei. Em mais de uma correspondência, o ministro citava a afronta que se tornara recorrente. Argumentava: "Os navios de guerra aqui estacionados não põem mais limites no rigor com que controlam a navegação e o comércio do Brasil. Penetram nos portos, visitam os navios, arrestam os que lhes são suspeitos, enviando-os depois ao Cabo da Boa Esperança e a Santa Helena, quando não os incendeiam à vista mesmo dos canhões dos fortes e das populações. O litoral brasileiro tornou-se, assim, para a

Marinha inglesa, um teatro de proezas igual ao que era até agora a costa da África. Os cruzeiros têm ordem, segundo parece, de arrestarem todo navio suspeito não somente de fazer o tráfico, como também de tentar fazê-lo ou tê-lo feito outrora."[27]

Em uma situação como essa, de intervenção declarada, qualquer outro país decretaria guerra. Mas, na situação do Brasil, como encarar a maior potência econômica e bélica do mundo? Não havia a menor chance de sucesso, e a solução imediata era se submeter. Porém, com o tempo, a situação se tornava cada vez mais insustentável, uma vez que passou a interferir diretamente na economia do país. Nessa hora, então, o jeitinho brasileiro entrou em ação.

Mas não era para menos, pois, francamente, a Inglaterra não esperava que o Brasil fosse boicotar a si mesmo para salvaguardar os interesses ingleses. Às favas os ingleses. Mesmo porque sem o braço escravo não era possível manter a produção em larga escala do café, que, além de sustentar economicamente o Império, cobria grande parte da demanda de consumo oriundo da própria Inglaterra.

Diante dessa contradição dos ingleses, a solução brasileira foi no seguinte sentido: se, por um lado, não havia como enfrentar os ingleses, por outro lado não havia o menor pudor ou medo em desrespeitá-los. Os números provam facilmente a tese. A partir de 1845, o tráfico negreiro simplesmente explodiu. Antes dessa data, cerca de 20 mil escravos entravam por ano no Brasil. Desafiadoramente, nos anos subsequentes à lei esse número só fez aumentar.

Em 1846, o número anual da entrada de escravos no Brasil saltou de 20 para 50 mil. Em 1847, foi de 56 mil. Em 1848, de 60 mil, e em 1849, o número foi de 54 mil. Ou seja, o tráfico de escravos mais do que dobrou depois da lei dos ingleses. O Brasil, definitivamente, não abriria mão de um negócio tão lucrativo, que fez a fortuna de toda a elite brasileira da época, só porque os ingleses exigiam.

Mas como uma crise diplomática, quiçá bélica, entre os dois países estava instaurada e a Inglaterra era a maior consumidora do café produzido no Brasil, o prolongamento desse imbróglio simplesmente não interessava ao Brasil do ponto de vista comercial, pois estava perdendo nas duas pontas. A questão vai ser resolvida com uma nova lei, baixada em 1850, dessa vez pelo Brasil, a Eusébio de Queiroz, que proibia o tráfico de escravos nos portos brasileiros. Se a questão com os ingleses parecia então se resolver, com os negreiros — como eram conhecidos os traficantes de escravos — as celeumas continuariam por mais algum tempo.

Essa pressão interna foi importante uma vez que os negreiros, fornecedores da mão de obra, e os fazendeiros, produtores de café, formavam a elite da sociedade e, consequentemente, da política brasileira. Eles haviam apoiado o Segundo Reinado no período turbulento das Regências, quando o imperador era ainda uma criança, e esse apoio, evidentemente, custaria caro. Qualquer decisão que ferisse de morte os interesses de ambos criaria, com toda certeza, para o imperador e para a Monarquia brasileira, um desgaste político enorme, que em última instância poderia redundar até numa mudança de regime. Historicamente, no Brasil, o grupo que apoia e mantém um governo no poder lança as cartas na mesa do jogo político. Essa é uma regra que não mudou muito até os dias de hoje.

Um desses traficantes, por exemplo, Manuel Pinto da Fonseca, proprietário de feitorias na África e no Brasil, era, ao contrário do que se poderia imaginar na Inglaterra, um senhor com grande inserção social, inclusive no âmbito da Monarquia. Era também, contraditoriamente, um filantropo. Quem em sã consciência poderia imaginar que um homem que com uma mão apresava negros, os submetia a uma viagem desumana, os tratava com violência e os vendia como mercadoria, com a outra fazia filantropia, a ponto de ser benemérito da Ordem Terceira dos Mínimos de São Francisco de Paula e da Bom Jesus de Braga, em Portugal, onde nascera?

No Brasil, recebeu as seguintes honrarias: em 1841, o Hábito de Cristo; em 1844, o Oficialato da Rosa e o Hábito de Cristo, e em 1845, ano da Bill Aberdeen, ironicamente talvez, num verdadeiro deboche do governo brasileiro aos ingleses intrometidos, chega no auge ao receber a Comenda da Ordem de Cristo.

Uma aberração como essa só era possível porque o negócio com escravos era extremamente lucrativo e, mesmo com o risco de apresamento, fosse pela Marinha inglesa ou pelas frouxas leis brasileiras, o crime compensava. Em 1843, por exemplo, comerciantes negreiros pagavam aos traficantes 140 mil réis por um escravo nos diversos mercados do Valongo espalhados pelo país, e vendiam as suas mercadorias aos fazendeiros, com ágio de 300 ou 400 por cento. Desse modo, um escravo era facilmente comercializado por 400, 500 mil réis.

Com a fortuna que levantavam, mesmo oriunda de um meio deplorável, condenável e ilícito como a do tráfico negreiro, é natural que esses homens ganhassem um papel de destaque na pirâmide social do Império, onde o que importava, ao cabo, aliás como ocorre até hoje, era a bala na agulha que cada um tinha, ou seja, a sua capacidade financeira. Quem não conhece ainda hoje no Brasil um contraventor, um traficante, um falsário, um bicheiro, um sonegador, um corruptor e todos os demais exemplares que fazem parte da fauna nacional, que vivem perfeitamente inseridos na sociedade em que gravitam, quando não se elegem prefeitos, deputados, senadores etc.?

Só com o tempo e aos poucos é que a Monarquia consegue convencer os negreiros e fazendeiros do quão importante era para o comércio exterior a adequação aos novos padrões impostos, sobretudo pela Inglaterra, para o comércio internacional. Um homem que terá papel determinante nesse processo de convencimento de escravagistas e fazendeiros, como veremos, será Irineu Evangelista de Sousa, o Barão de Mauá, e ele tinha a senha.

De fato, a partir da Lei Eusébio de Queiroz o tráfico internacional de escravos africanos foi declinando no Brasil. Mas não porque os fazendeiros haviam substituído o trabalho escravo pelo trabalho assalariado. Tampouco porque os traficantes negreiros haviam mudado de ramo ou tido uma recaída humanista. Mas simplesmente por causa de outra modalidade de negócio que surge: o tráfico interno de escravos.

Dizem que a ocasião faz o ladrão ou que a demanda cria a oportunidade. Nesse caso, com as lavouras do Nordeste falidas, um grande excedente de escravos estava disponível para ser negociado. Se sobram no Nordeste e faltam no Sudeste, a oportunidade de negócio está criada e, desta vez, livremente, longe do mar, onde os lobos ingleses estavam à espreita.

Da porteira para dentro, a Inglaterra não mandava, e a Monarquia fazia vista grossa. Desse modo, um intenso tráfico interno de escravos se estabeleceu, movimentando legiões de homens que atravessavam compulsoriamente o sertão brasileiro para serem vendidos no Rio de Janeiro, Minas Gerais e São Paulo.

O resumo da ópera é que a questão da escravidão ficaria mal resolvida no Brasil e se tornaria uma das responsáveis pelo atraso brasileiro do ponto de vista dos avanços sociais, políticos, econômicos e culturais. Pelo menos por enquanto.

OS VENTOS DA TRANSFORMAÇÃO

A partir dessa verdadeira crise diplomática com os ingleses em torno do tráfico negreiro e do trabalho escravo, que havia colocado em risco a balança comercial brasileira, é que D. Pedro II começa a pensar numa alternativa para o Brasil, embora tenha feito vista grossa para o intenso e aberrante tráfico interno de escravos.

Para o imperador, no entanto, era notório que um novo mundo havia surgido com a Revolução Industrial, trazendo consigo uma nova sociedade e uma nova mentalidade liberal, citadina etc., que se chocava frontalmente com aquele tipo de prática — a escravidão e o tráfico —, que se tornaria insustentável de vários pontos de vista: comercial, moral, humanitário etc. O que estava claro como um dia de sol para o imperador era o fato de que uma hora ou outra o Brasil ia ter que se adequar, pois as mudanças eram inexoráveis, e o modelo brasileiro estava também inexoravelmente condenado.

Entre as principais mudanças que deveriam ser fomentadas estavam tanto aspectos da infraestrutura das cidades como aspectos culturais e sociais, dos costumes e do comportamento.

Nos aspectos infraestruturais, tomando o Rio de Janeiro como exemplo, que por ser a capital do Império estava na vanguarda do país, a cidade vinha ganhando sistematicamente a abertura de novas ruas, o alargamento de outras, o calçamento, a iluminação a gás, a implantação das linhas de bonde, enfim, uma série de melhorias que iam aos poucos tornando-a menos provinciana e mais cosmopolita.

Nos aspectos culturais, temos o estabelecimento do primeiro cabo submarino ligando o Brasil e a Europa, tornando possível com essa nova tecnologia a implementação do telégrafo e com isso uma maior velocidade nas comunicações entre os países. O início do processo de navegação a vapor já havia encurtado as distâncias entre o Rio de Janeiro e as mais badaladas capitais do mundo, como Londres e Paris, aumentando sensivelmente o intercâmbio de pessoas entre os dois continentes. Era pelo Rio de Janeiro que a civilização europeia chegava, entrava e tomava conta dos espíritos.

No Brasil, a sensação que se tinha, sobretudo para as elites citadinas e liberais — muito mais interessadas, portanto, nas novidades oriundas da Europa — era de que estávamos mais próximos da civilização, embora a barbárie da escravidão ainda morasse ao lado e não demoraria muito para se incompatibilizar com o novo espírito, para incomodar a nascente burguesia liberal brasileira, assentada no comércio e na indústria.

Mas o fato é que com a intensificação da comunicação entre os dois continentes muitos hábitos, costumes e comportamentos europeus iam sendo largamente incorporados pelos abastados frequentadores da Corte brasileira.

Seguindo as tendências da moda, abriram-se os salões, os solares e os cassinos onde ocorriam festas intermináveis. As roupas passaram a ser feitas sob medida por costureiras e alfaiates, que reproduziam em tecidos importados a última moda europeia. Penteados e perfumes eram largamente desenvolvidos por hábeis cabeleireiros e perfumistas, que se tornavam figuras cada vez mais comuns e respeitadas no rol de prestadores de serviços imprescindíveis na cidade.

Passou-se a frequentar confeitarias, charutarias, livrarias, lugares onde a conversa corria solta e se intensificavam as relações sociais, que antes ocorriam apenas no âmbito restrito das casas particulares.

Hotéis, teatros, cabarés, jornais e revistas compunham e complementavam o quadro de uma sociedade que, com a estabilidade política reinante, ia seguindo os passos das grandes cidades europeias e se tornando mais movediça, mais impessoal.

A verdade é que, ao contrário das grandes cidades europeias, no Brasil as cidades haviam permanecido durante séculos como meras dependências do meio rural. Esse processo que se inicia a partir da primeira metade do século XIX — a passagem da vida rural para a vida urbana — se completará apenas em meados do século XX, ou seja, num processo de emancipação lenta e mesmo assim carregando consigo um forte ranço rural.

Não foi por mera coincidência que esse período de excepcional vitalidade nos negócios voltados para o comércio e para a simples especulação financeira, totalmente desvinculados dos meios rurais, como veremos, ocorreu nos anos que se seguiram imediatamente ao primeiro passo para a abolição da escravidão no Brasil, ou seja, a Lei Eusébio de Queiroz e a supressão do tráfico negreiro, que era a base de toda a riqueza acumulada até então.

Segundo Sérgio Buarque de Holanda, pode-se dizer que "o caminho aberto por semelhantes transformações só poderia levar, logicamente, a uma liquidação mais ou menos rápida de nossa velha herança rural e colonial, ou seja, da riqueza que se funda no emprego do braço escravo e na exploração perdulária das terras de lavoura".[28]

Nunca antes o país havia sido envolvido por uma febre de transformações tão intensas como as que ocorreram entre 1850 e 1855. Dentre os principais acontecimentos, podem-se destacar: em 1851, o movimento regular de constituição de sociedades anônimas e a fundação do segundo Banco do Brasil, para respaldar negócios e empréstimos; em 1852, a inauguração da primeira linha telegráfica na cidade do Rio de Janeiro; em 1854, a abertura ao tráfego da primeira linha de estradas de ferro do país, ligando o porto de Mauá à estação do Fragoso; em 1855, o começo da construção da segunda linha, que irá ligar a Corte à capital da província de São Paulo.

Como podemos ver, a partir de 1850 deu-se início à longa passagem à urbanização e à cultura das cidades. O financiamento para essas novidades provinha quase exclusivamente dos recursos deslocados com o fim do tráfico negreiro, que fez com que o montante financeiro antes aplicado nesse comércio migrasse para o campo especulativo.

A partir desse momento a vida rural tradicional começou a sofrer a pressão imensa da mudança que emanava da Europa e que rondava o Brasil como uma presa fácil. O país se dividiu desse modo em duas mentalidades, que passaram a se hostilizar cada vez mais, em dois mundos em guerra permanente. Nessa guerra, o imperador, pessoalmente, ficará oscilando, como um pêndulo, entre um e outro, porém não a Monarquia, que como veremos tomará claramente o partido de um deles.

9

FAUSTO E MEFISTÓFELES

O imperador estava atento a todas as mudanças que anunciavam o início de um novo tempo. Era no Rio de Janeiro, mais do que em outras capitais brasileiras, que tudo ocorria e que tudo mudava a passos largos. Como um espectador privilegiado, D. Pedro II observava acontecer, debaixo do seu nariz e contando com o seu entusiasmo e beneplácito, aquele rompante de desenvolvimento da Corte carioca e a chegada das principais novidades do mundo.

No fundo, ele sabia que aquele progresso era uma locomotiva sem freios, que mais cedo ou mais tarde arrombaria os portões do Palácio de São Cristóvão e arrebataria também o imperador e a Monarquia na sua turba incontrolável.

O maior responsável por grande parte desse progresso era um homem chamado Irineu Evangelista de Sousa, o futuro Barão de Mauá. Havia entre Irineu e D. Pedro II uma incompatibilidade gritante. Analisados à luz da psicanálise, Mauá era o seu outro eu, o eu progressista, o eu que o imperador não podia ser naquele momento, mas que ansiava profundamente ser. Talvez possa-se dizer que a reticência do imperador por Mauá revelava, no fundo, um desejo reprimido de ser exatamente igual a ele.

Embora obrigado pelas circunstâncias a ser conservador, o imperador sabia que o futuro era inexoravelmente aquilo que Mauá fazia. Era uma enxurrada, um tsunami, uma avalanche que, uma vez iniciada, seguia incontrolável em seu avanço e destruição. Mauá era uma espécie de primeiro motor dessa transformação toda. Ele era a vertente de todo aquele progresso.

E como o imperador não deve ter pensado em seu filho D. Afonso Pedro de Alcântara, nascido em 1845, em meio àquele turbilhão, e como também não deve ter lamentado a sua morte prematura, em 1847. Pois apenas Afonso, em sua condição de príncipe e de herdeiro do trono do Brasil, poderia levar a cabo negócios e políticas progressistas. Os desejos reformistas e liberais do imperador foram todos projetados para se realizar no Terceiro Reinado, no reinado de D. Afonso Pedro de Alcântara.

Com a morte do filho e herdeiro, esses desejos foram abalados. Ele sabia que a jovem Princesa Isabel estaria fatalmente condenada a viver nas condições em que viviam as mulheres no Brasil do século XIX, ou seja, subjugadas pelo machismo e pelo patriarcalismo.

Pode-se dizer, portanto, que a relação entre o imperador e Mauá certamente foi permeada, aqui e ali, pelos sentimentos de admiração e inveja recíprocos. Eram como Salieri e Mozart: o primeiro, conservador, para manter o seu patrimônio, a sua posição social; e o segundo, despojado, experimentador, criativo, habitante de um novo mundo e possuidor de um espírito livre.

O imperador não era um parvo, pelo contrário, só não era viajado, mas lia muito e por meio da leitura tornou-se um erudito. Conhecia todos os mecanismos que moviam o mundo, fossem eles sociais, políticos, econômicos, naturais etc. Tinha a clareza de que um novo mundo batia à porta e que havia surgido depois da

Revolução Francesa e, sobretudo, depois da Revolução Industrial. Assim como tinha plena clareza de que o seu Império era o que havia de mais retrógrado no mundo e que, portanto, estava inexoravelmente com os dias contados. As mudanças viriam, entrariam pelas frestas das portas caso as encontrassem trancadas, implacável como a luz do sol a cada amanhecer. Tudo era apenas uma questão de tempo.

O contato com intelectuais brasileiros e europeus só fazia ampliar a visão do imperador sobre a principal questão que o afligia: a da escravidão no Brasil. Entre os intelectuais que mais o influenciaram nesse sentido estavam o historiador brasileiro Francisco Adolfo de Varnhagen; o diplomata, escritor e filósofo francês Joseph Arthur de Gobineau e o maestro e compositor alemão Richard Wagner.

O ano de 1845, quando a Inglaterra decreta a Bill Aberdeen, é um ano-chave para o Brasil e um batismo de fogo para o imperador. D. Pedro II tinha nessa data apenas 20 anos, era um rapaz meio imaturo e procurava ainda convencer como imperador, mas sabia exatamente o que queria para o futuro do país, bem como das imensas dificuldades que encontraria para superar o conservadorismo das elites brasileiras.

Do outro lado, um homem também muito jovem, de 32 anos, cuja vida havia sido igualmente sacudida, coincidentemente, por causa da Inglaterra, começava a construir a sua trajetória de forma atípica para os padrões brasileiros. Em vez de plantar café ou negociar escravos e fazendas, os empreendimentos mais promissores e lucrativos da época, decidira trocar o comércio pela indústria. Ninguém em sã consciência jamais recomendaria tal investimento no Brasil na década de 1850.

Mauá foi capaz de projetar um horizonte muito mais abrangente e com uma impressionante visão estratégica. Nesse aspecto, estava à frente do seu tempo mais do que qualquer outro cidadão brasileiro podia sequer vislumbrar. Até por isso teve que "agir sozinho, contra muitos, confiar apenas em seu talento e duvidar do senso comum".[29]

Mauá havia retornado da Inglaterra em 1840 com muitas ideias na cabeça. A Revolução Industrial explodira por lá havia pouco e para onde quer que se olhasse brotavam fábricas, fundições, estradas de ferro, bancos etc. Desse modo, quando retornou ao Brasil, depois dessa viagem no tempo para o futuro, Mauá convenceu-se de que não havia outro caminho a seguir senão o da industrialização. Ela, inexoravelmente, mais dia, menos dia, desembarcaria no Brasil.

Botando mãos à obra, Mauá comprou uma pequena fundição que estava praticamente abandonada no Rio de Janeiro, situada na Ponta da Areia. Transformou essa pequena indústria no Estabelecimento de Fundição da Ponta da Areia. A partir daí, procurou agregar ao negócio todo tipo de novidade que havia trazido da Inglaterra: produzia caldeiras, máquinas, guindastes, prensas, postes de iluminação pública, canos de ferro para esgoto e água e pequenos e grandes navios. Entre eles até um negreiro, encomendado por Manuel Pinto da Fonseca para buscar escravos na África.

Era nesse homem, mensageiro do progresso no mundo, que o jovem imperador estava de olho e com quem gostaria de se associar naquele momento. Certamente já o tinha sondado muitas vezes e sabia que aquele homem tinha o *savoir-faire*, o *know-how*, o *conhecimento processual* para tudo aquilo que o imperador queria fazer.

Nesse ponto, pode-se dizer que D. Pedro II e Mauá se pareciam; gostavam de saber sobre as últimas novidades intelectuais e científicas da Europa, gostavam de estudar assuntos desconhecidos pela maioria dos brasileiros, falavam diversos idiomas e assim por diante. Apenas um detalhe os separava. Enquanto Mauá era livre para agir e pôr em marcha as suas ideias, D. Pedro II estava amarrado e era refém de toda uma estrutura arcaica, de herança colonial, que formava o seu arcabouço político e, ao sustentá-lo no poder, o imobilizava completamente. A marca da Monarquia devia ser o imobilismo, não a mudança, pois só assim poderia manter firmes os seus alicerces. A permanência era condição *sine qua non* para a sobrevivência.

Embora plenamente consciente disso tudo, D. Pedro II decide, depois de vencido o período inicial do seu reinado, eivado de revoltas, contestações e incertezas, que era hora de mudanças. O cerco da Inglaterra ao tráfico e à escravidão havia sido apenas a mola propulsora. Desse modo, depois de todos os acontecimentos decorrentes da lei inglesa que, como vimos, atravancou o comércio externo brasileiro e as finanças do Império, ordenou ao gabinete conservador de 1848 que, de uma forma ou de outra, era preciso dar uma resposta definitiva, senão à questão da escravidão, ao menos à questão do tráfico.

O imperador sabia, por um lado, que não seria fácil, nem recomendável e futuramente demasiado incerto um país ficar dependendo do tráfico de escravos e da escravidão para equilibrar as suas finanças. Além do que exportar uma produção baseada num tipo de exploração do trabalho que já havia ultrapassado a condição de ilícito e entrava para o campo de crime contra a humanidade seria cada vez mais difícil.

Por outro lado, a extrema dependência a praticamente um único produto exportável, o café, deixava o país refém dos humores ingleses. Entre 1820 e 1830, a produção de café correspondia apenas a 18% das exportações brasileiras. Entre 1831 e 1840, esse número subiu para 43%. Na década de 1870, chegaria a representar mais de 60%. Com tal preponderância, não é difícil imaginar quem mandava e desmandava no país. Esse aumento da exportação e, consequentemente, da produção, demandava um brutal aumento da mão de obra escrava. Se, por um lado, a produção alçava o país à condição de maior exportador mundial, por outro expunha a olhos vistos a extrema dependência do país em relação à produção agrícola e ao trabalho escravo.

Em matéria de negócios, ficar dependente da venda de apenas um produto é viver sob o signo do risco iminente. O imperador sabia que a economia devia iniciar urgentemente um processo de diversificação, correndo o risco de uma hora entrar em colapso. Mauá, de certa forma, com seus empreendimentos, abriu os olhos do imperador a novas possibilidades para a economia brasileira. E o imperador sabia que "o futuro era ele", pois "quase todos os empreendimentos no país que não fossem uma fazenda de escravos acabavam passando por suas mãos".[30]

O problema, no entanto, no enfrentamento contra o tráfico era que à frente do Ministério da Justiça estava Eusébio de Queiroz. Eusébio nascera em Angola e, segundo consta, alguns parentes seus lidavam diretamente com o tráfico negreiro. Isso por si só não quer dizer muito, já que ele diretamente jamais se havia envolvido com esse comércio. O fato desabonador é que de março de 1833 a abril de 1844, não por acaso ainda durante o período regencial (1831-1840), ele havia exercido o cargo de chefe da polícia da Corte, período em que, como sabemos, mesmo sob a pressão inglesa, houve dezenas de desembarques clandestinos de escravos no Rio de Janeiro.

Se isso não quer dizer que o chefe da polícia era conivente, pelo menos para os traficantes foi um tempo em que se podia ainda trabalhar com certa tranquilidade. Desse modo, mesmo com a sua nomeação para ministro da Justiça (1848-1852), certamente pouquíssimos traficantes ou negreiros achavam que algo pudesse mudar. Não só os maiores interessados no assunto, mas ninguém imaginava que um gabinete conservador, o de Pedro Araújo Lima, o Marquês de Olinda, que havia sido o último regente do Império (1837-1840), completamente insuspeito, pudesse mover qualquer ação na direção da supressão do tráfico. No fundo, essa segurança de que o negócio com escravos era intocável advém, sobretudo, do fato de que esse era, realmente, o grande negócio do país.

Mas sob aquela aparência de imobilismo o projeto do jovem imperador corria solto. Como desconfiavam de tudo e de todos, "os conservadores do gabinete preferiram acumular trabalhos caseiros, feitos em reuniões de amigos, até chegar a hora. Entre os amigos do gabinete ultraconservador convocados para dar a sua ajuda nesses trabalhos de aparência inofensiva estava o industrial cheio de gratidão e dinheiro no bolso [Mauá]. Ele recebia em sua casa um grupo formado pelo próprio Eusébio de Queiroz, o deputado Nabuco de Araújo, o senador José Clemente Pereira e os advogados Francisco Inácio de Carvalho Moreira [Barão de Penedo] e Caetano Soares. Em dois meses de conversas eles prepararam um projeto completo de reforma do Código Comercial para adaptar as práticas comerciais do país ao fim do tráfico".[31]

Uma Lei de Terras e uma Lei de Colonização também foram elaboradas para tentar amenizar o impacto da aprovação da Lei de Supressão do Tráfico na sociedade brasileira. Sociedade, no caso, leia-se a minoria de fazendeiros e traficantes que movimentavam fortunas pessoais com o negócio escuso do tráfico e a reboque uma larga fatia da economia do Império.

Como se pode ir percebendo, Mauá foi uma peça-chave no imenso jogo de xadrez do imperador. Não foi à toa que recebeu generoso reconhecimento pela enorme contribuição que prestou ao Império. D. Pedro II não pensou duas vezes para recompensá-lo e, em 1849, concedeu-lhe a mais alta condecoração que se podia receber naqueles tempos, a Medalha da Ordem de Cristo.

No dia 4 de setembro de 1850, para surpresa geral da nação e regozijo dos ingleses, juntamente com a Lei de Terras e a Lei de Colonização, foi aprovada a lei que ficou conhecida como

Lei Eusébio de Queiroz, proibindo o tráfico de escravos para o Brasil.

Era o primeiro passo de uma imensa jornada que o imperador se dispôs a trilhar, mesmo que lentamente. A lei foi aprovada nos seguintes termos:

Art. 1º: As embarcações brasileiras encontradas em qualquer parte, e as estrangeiras encontradas nos portos, enseadas, ancoradouros ou mares territoriais do Brasil, tendo a bordo escravos, cuja importação é proibida pela lei de 7 de novembro de 1831, ou havendo-os desembarcado, serão apreendidas pelas autoridades, ou pelos navios de guerra brasileiros, e consideradas importadoras de escravos. Aquelas que não tiverem escravos a bordo, nem os houverem proximamente desembarcado, porém que se encontrarem com os sinais de se empregarem no tráfico de escravos, serão igualmente apreendidas e consideradas em tentativa de importação de escravos.

No artigo 3º constava: São autores do crime de importação de escravos, ou de tentativa dessa importação, o dono, o capitão ou mestre, o piloto e o contramestre da embarcação e o sobrecarga. São cúmplices a equipagem e os que coadunarem o desembarque de escravos no território brasileiro ou que concorrerem para os ocultar ao conhecimento da autoridade, ou para subtrair a apreensão do mar, ou em ato de desembarque, sendo perseguidos.

Embora fosse um avanço imenso, impensável alguns anos antes, os trabalhos estavam apenas começando. Havia muita água para correr debaixo dessa ponte, havia muito chão para ser percorrido, e a violência das correntes ou a aridez do caminho se configuravam num obstáculo imenso. Era preciso romper a peito aberto uma tradição de 400 anos.

Como um aprendiz numa oficina mecânica, o imperador queria aprender o mecanismo de tudo. Foi assim que a segunda parte do seu plano, que havia sido todo tecido por Mauá, nas reuniões em sua casa, com o alto escalão do governo, deveria ser imediatamente posta em prática. O imperador deu todo o aval necessário para que Mauá abrisse um banco a fim de contingenciar a fortuna ociosa dos traficantes e fazendeiros. Para o imperador, era apenas mais um passo na sua longa caminhada. Para Mauá, era a oportunidade que ele esperava para realizar mais um dos seus grandes projetos.

Sem perder tempo, em 2 de março de 1851 o *Jornal do Commercio* já anunciava a realização de "uma reunião no pavimento superior da Praça do Comércio, destinada a marcar o ato da fundação de um grande banco na cidade do Rio de Janeiro".[32]

Antes que fazendeiros, traficantes, negreiros e incautos em geral protestassem, imaginando que haviam perdido o grande negócio de suas vidas, que era a compra e a venda de escravos, Mauá tratou logo de destilar o veneno do canto das sereias dos novos investimentos, que geravam juros, dividendos etc. Transformou, portanto, a iminência da ruína e a desilusão de muitos numa oportunidade de negócio infinitamente melhor do que aquele do qual viviam. Mesmo porque a maioria já havia perdido as esperanças e se preparava para o pior, praguejando contra a atitude complacente do imperador e ameaçando retomar o clima antimonarquista de tempos idos.

A busca de escravos na África envolvia custos altíssimos, como o da viagem, que demorava meses, e o da perda eventual das "mercadorias" pelo caminho, algumas vezes pelo alto índice de mortalidade nas viagens, em condições sub-humanas, outras vezes pelas apreensões feitas por navios ingleses ou mesmo pelos saques dos piratas. Sem terem que se preocupar com toda essa logística empregada no negócio, os comerciantes diretamente envolvidos no esquema foram, como num passe de mágica, do inferno ao céu. Eles deviam estar se perguntando: mas que mágica é essa? Por que não fizemos isso antes?

Segundo palavras do mágico — Mauá —, a sua intenção era a de "reunir os capitais que se viam repentinamente deslocados do ilícito comércio e fazê-los convergir a um centro donde pudessem ir alimentar as forças produtivas do país".[33]

Uma vez convencidos os fazendeiros e os traficantes de que o produto deles agora não era mais o escravo, mas sim o próprio capital que possuíam, todo esse dinheiro acabou sendo investido no banco de Mauá, que se chamava Banco do Brasil. Era ele que iria mediar a multiplicação do capital que lá fosse aportado pelos investidores por meio de empréstimos que lhes retornariam polpudas cifras em juros.

Temos a partir daí o seguinte quadro: de um lado, disponibilidade de dinheiro para empréstimo, e de outro, comerciantes capitalizados para aumentar investimentos. A consequência imediata desses dois fenômenos foi a disparada sem precedentes do consumo e, consequentemente, das importações, pois quase tudo que se consumia no Brasil era importado sobretudo da Inglaterra.

As importações passaram de "59,1 mil contos em 1850 para 92,8 mil contos em 1852, um aumento de 57,2% em apenas dois anos. Para um governo que vivia basicamente do imposto de importação, não poderia haver notícia melhor do que essa. A arrecadação na Alfândega cresceu 41% nesse período, enchendo os cofres do Tesouro — que já se encontravam em boa situação desde a elevação das tarifas de 1844. Para completar a alegria do governo, sua segunda maior fonte de renda, o imposto sobre produtos exportados, também ia muito bem. A extinção do tráfico coincidiu com uma alta do café, o que fez o valor das vendas para o exterior subir de 55 mil contos, em 1850, para 67,7 mil contos, no ano seguinte, um aumento de 23%. O resultado conjunto desses dois movimentos foi que as receitas totais do Tesouro saltaram de 28,2 mil contos, em 1850, para 35,7 mil contos, em 1852, um crescimento de 27,2%".[34]

D. Pedro II não poderia estar senão rindo à toa. Era tudo aquilo que ele esperava. Uma resposta para a questão da escravidão e o aumento astronômico na arrecadação de impostos e, consequentemente, da riqueza do governo. Nada mal para um jovem imperador, um lance de mestre. Nada como andar em boas companhias.

Essa imensa associação de capitais vai fazer com que Mauá multiplique os seus negócios e a sua fortuna. Se no início de 1850 ele era proprietário apenas da fábrica da Ponta da Areia, dois anos depois, com o beneplácito do imperador, ele já havia agregado aos seus negócios nada mais, nada menos que um banco, uma companhia de estradas de ferro, uma empresa de navegação e uma concessionária de serviços públicos. Se fosse nos dias de hoje, todos esses negócios seriam certamente alvo de uma CPI (Comissão Parlamentar de Inquérito), dada a intensa aplicação de dinheiro público nos empreendimentos de uma única empresa.

O imperador já havia aprendido muito bem com Mauá como se fazia negócio, como se construía o futuro e se chegava ao progresso, como se ganhava dinheiro com a manipulação de empréstimos, créditos e transações financeiras. Era hora de o imperador entrar no time titular e, como era de esperar, Mauá, embora o craque do jogo, teria que ceder seu lugar para o dono da bola.

Em maio de 1853, Joaquim José Rodrigues Torres, o futuro Visconde de Itaboraí, sobe ao comando do ministério e começa a cobrar a alma que Mauá havia penhorado no seu pacto com o imperador.

No dia 17 de maio, o imperador encaminhou, via Itaboraí, um projeto para ser votado na Câmara e no Senado. Tratava-se da fundação de um banco oficial para fazer exatamente tudo aquilo que o banco de Mauá fazia. A concorrência era explícita. Típico caso da criatura que se volta contra o criador. Tinha de cara 30 mil contos de capital e todo aval e credibilidade por se tratar de um banco estatal, praticamente inquebrável e imune a qualquer crise financeira. Pelo menos essa era a propaganda para chamar a atenção dos investidores.

A notícia agitou os investidores e os especuladores. No projeto estavam resumidos os propósitos do banco: "A concorrência entre bancos, senhores, tem sido a causa principal de quase todas as crises comerciais. É a porfia em que cada um luta para fazer mais negócios, aliciar mais fregueses, por dar maiores dividendos a seus acionistas, que de ordinário ocasiona a facilidade de se descontarem títulos sem as necessárias garantias, que faz baixar demasiadamente os juros, que excita empresas aleatórias, que faz desaparecer do mercado os capitais disponíveis, reais, para os substituir por capitais fictícios ou de imaginação, é a rivalidade entre os bancos que concorre poderosamente para produzir as quebras, a ruína, o desespero das famílias quando chega o dia em que essa fantasmagoria desaparece. A concorrência entre os bancos prepara para os produtores ávidos e imprudentes essas elevações da fortuna, essas quedas precipitadas que dão ao trabalho e à indústria todos os delírios, todas as angústias do jogo."[35]

Segundo o projeto de Itaboraí, continuando a análise do seu discurso, "o projeto de criação de um banco nacional de circulação não tem por fim destruir nem dar mão a nenhum dos bancos estabelecidos. Talvez por parte deles haja o desejo de se fundirem num só. Não há nisso qualquer inconveniente para o público, seria antes para desejar que se fundissem, porque dessa maneira se remediaria alguma falta de garantia de que possa se ressentir a organização dos bancos que atualmente existem".[36]

Aos poucos, os investidores foram entendendo o recado do governo e começaram a migração. Em pouco tempo, acuado pela concorrência desleal, Mauá decidiu fundir-se com o novo banco, que continuou se chamando Banco do Brasil.

Com a junção dos bancos, tudo que Mauá havia construído ficava para o governo: "capitais, móveis, funcionários treinados e até o nome [...] Irineu recebeu em troca um lote de ações. No mesmo dia Itaboraí publicou as instruções sobre a venda ao público das ações restantes da nova empresa — tudo precisava ser feito depressa, pois o imperador estava ansioso".[37]

Aparentemente, Mauá surge como o grande adversário do banco estatal, mas, no fundo, tudo que ocorreria a partir dali estava, como era de esperar, milimetricamente planejado para acontecer.

Tudo havia ocorrido num prazo tão curto, entre 1850 e 1853, mudanças tão radicais nos rumos da economia do país, que uma hipótese deve ser averiguada com mais calma.

A hipótese é a seguinte:

Não teria o imperador, com medo do desconhecido e apreensivo com as consequências decorrentes da ruptura de um processo histórico secular, ou seja, a economia baseada na monocultura, no tráfico e na escravidão, armado uma conspiração nas salas enigmáticas das lojas maçônicas para que Mauá fosse o agente das mudanças?

As mudanças seriam muitas e, se levadas a cabo pelo imperador, os resultados poderiam ser imprevisíveis, redundando até na retomada do sentimento antimonárquico ou até mesmo na queda da Monarquia.

Com a política agressiva de captação dos recursos disponíveis na sociedade com o fim do tráfico, Mauá, por meio do seu banco, "provocou uma benéfica mudança na economia, transferindo, em velocidade crescente, capitais para o financiamento da produção. Essa tendência tinha tudo para se intensificar ainda mais. Ela seria tão mais acentuada quanto maior fosse a diferença entre a rentabilidade esperada dos investimentos produtivos — então alta — e o custo do dinheiro — na época bastante baixo. Beneficiaria agricultores, industriais, comerciantes e todos os que até então sofriam sempre que precisavam de capital para investir. O resultado do processo seria um surto de crescimento econômico".[38]

Mas tudo isso, no início, quando ainda estava no nível de projeto, era um tiro no escuro. A questão que pairava na cabeça do imperador era se os negreiros, os traficantes e os fazendeiros compreenderiam esse complexo mecanismo financeiro. Estavam longamente acostumados com os métodos tradicionais de conduzir os seus negócios. No Brasil, historicamente, sinônimo de riqueza e de status social era propriedade de terra e de escravos, não números advindos de aplicações financeiras.

Mauá foi o grande agente dessa transformação. Ele tinha o elixir, o abre-te sésamo de toda aquela complexa engenharia de números e cálculos. A sua genialidade em lidar com tudo aquilo havia convencido o imperador a mover uma peça importante no complicado jogo de xadrez da vida política e econômica do país.

Essa conspiração toda teria sido uma das grandes cartadas do imperador. Cauteloso o suficiente para encabeçar as mudanças que sabia seriam necessárias para o futuro da Monarquia, o imperador se escondia por detrás de sua tropa de choque. Nesse sentido, Mauá teria sido também um de seus capitães, o Caxias da economia.

Tanto isso é plausível que, ao contrário do que se pode pensar, Mauá sai rigorosamente bem do processo de estatização do seu banco. Os seus negócios com o governo continuaram em franca expansão.

No dia 6 de setembro de 1853, por exemplo, pouquíssimo tempo depois da fusão dos bancos, Mauá inaugura o trecho inicial de uma linha férrea, de poucos metros, é verdade, mas que historicamente tem um significado profundo, pois se realizava ali nada mais, nada menos do que a primeira viagem de trem da história do Brasil. No dia 24 de março de 1854, Mauá reunia toda a elite do

Rio de Janeiro nas ruas centrais da cidade para acender os lampiões e apresentar para o público aquela novidade. No dia 30 de abril de 1854, finalizou e inaugurou os 14 quilômetros da primeira estrada de ferro do Brasil, que ia até a estação do Fragoso, no Rio de Janeiro.

Qualquer empresário estaria extremamente cauteloso em investir num país cuja política econômica se mostrava retrógrada ao estatizar o seu único banco privado. Mas, pelo contrário, esse fôlego todo de Mauá demonstra que a transferência do seu banco para o Estado não havia afetado tanto assim os seus negócios nem o seu ânimo em investir, como deu para perceber.

A negociata do governo em torno do banco não havia, muito menos, abalado a amizade entre Mauá e o imperador, que concedeu a Mauá — teria sido a título de recompensa ou de compensação? — pelo conjunto da obra que realizou e que realizava na cidade o título de barão.

Muito distante da realidade de um empresário preterido, incompreendido e vitimado por uma estrutura arcaica que o sufocava, em 1867 Mauá era dono certamente da maior fortuna particular do Brasil, com os seus 115 mil contos de réis, ou 60 milhões de dólares. No Brasil, só o orçamento do Império chegava próximo disso, com 97 mil contos de réis, que, por sinal, Mauá havia ajudado a tornar realidade.

Esse patrimônio todo era oriundo do rendimento de cerca de 17 empresas, instaladas em seis países, abertas com sócios ingleses, franceses e norte-americanos. Entre essas empresas estavam "bancos no Uruguai, Argentina, Estados Unidos, Inglaterra e França; estaleiros no Brasil e no Uruguai; três estradas de ferro no interior do Brasil; a maior fábrica do país, uma fundição que ocupava 700 operários; uma companhia de navegação; empresas de comércio exterior, mineradoras, usinas de gás, fazendas de criação de gado e fábricas variadas".[39] Tudo isso num intervalo de 20 anos.

Esses números nos fazem pensar que o agora Barão de Mauá foi regiamente recompensado com o monopólio das obras públicas depois do grande favor que havia prestado ao imperador (seu irmão maçom do Grande Oriente do Brasil, conhecido como o Grande Oriente de Caxias, por ser ele o Grão-Mestre).

Nessa história entre Mauá e D. Pedro II não dá para saber ao certo quem era Fausto e quem era Mefistófeles. Os dois urdiram, serpentearam, se utilizaram do canto da sereia da riqueza, do progresso e do poder para seduzir um ao outro. Pode-se dizer que não houve vítima, e ambos foram para casa com as suas respectivas almas.

UM IMPERADOR FEBRIL, TOMADO PELA SÍNDROME DO TIO PATINHAS

e o fim do tráfico de escravos já havia liberado um volume imenso de recursos e transformado as finanças da Monarquia e a dinâmica dos negócios, o que seria então o quadro de uma sociedade baseada no trabalho livre, com um pensamento liberal, com um mercado consumidor consideravelmente ampliado? A arrecadação do Império certamente subiria às alturas e, consequentemente, as finanças do imperador.

Alucinado com a perspectiva desse cálculo simples, D. Pedro II vai transformar a questão da emancipação da escravidão de uma ideia, que o agradava desde a juventude, numa verdadeira obsessão.

Para ajudá-lo, em meio à europeização da mentalidade na Corte e em meio a esse novo universo de possibilidades que surge para outros negócios para além da escravidão e da produção agrícola, em 1855 um outro fator externo volta a pressionar o Império sobre a questão da escravidão.

Com o fim da Guerra Civil nos Estados Unidos, redundando na derrota do Sul e na abolição da escravidão naquela região do país, o tema, que desde a Lei Eusébio de Queiroz, em 1850, estava adormecido no Brasil, volta para o primeiro plano.

Em 14 de janeiro de 1854, enquanto a Guerra Civil americana ainda estava em curso, o imperador, prevendo o desfecho inevitável, conversa com o Ministro Zacarias de Góis nestes termos: "Os sucessos da União Americana exigem que pensemos no futuro da escravidão no Brasil, para que não nos suceda o mesmo que a respeito do tráfico de africanos. A medida que tem parecido profícua é a da liberdade dos filhos dos escravos, que nascerem daqui a um certo número de anos. Tenho refletido sobre o modo de executar a medida, porém é da ordem das que cumpre realizar com firmeza, remediando os males que ela necessariamente originará, conforme as circunstâncias o permitirem."[40]

O cunhado Francisco Fernando de Orléans, Príncipe de Joinville, e a irmã Francisca Carolina também aconselharam D. Pedro II a respeito da pressão que a nova situação nos Estados Unidos iria fazer recair sobre o Brasil. Em carta, Joinville diz-lhe que é preciso "modificar algo na situação dos escravos, começando por substituir o tráfico pela imigração".[41] A irmã escreveu-lhe as seguintes palavras: "Agora, que venha a emancipação gradual, mas creio que ela é mais necessária que seja feita o mais depressa possível, como o único país que ficamos ainda com a escravidão."[42]

Esse seria um aspecto que incomodaria profundamente o imperador, o fato de o Brasil se tornar, com a emancipação nos Estados Unidos, o único país do mundo que ainda utilizava o trabalho escravo. Em meio a seus desejos de se aproximar da civilização, sobretudo culturalmente falando, essa situação o desagradava e até o envergonhava profundamente. Mas o que fazer se o escravo era o alicerce do café, como já havia sido da cana-de-açúcar, e o café, como também já fora a cana-de-açúcar, era o Brasil?

O imperador era fascinado pela cultura ilustrada francesa, e é justamente de lá que em 1866 a até então desconhecida no Brasil

Junta Francesa para a Emancipação, cujos membros eram todos escritores e intelectuais europeus que figuravam no rol de suas admirações, lhe encaminha um manifesto apelando, depois dos acontecimentos nos Estados Unidos, para que a escravidão fosse igualmente extinta no Brasil.

Se não fosse pelo constrangimento do tema de que tratava a carta, o imperador teria ficado profundamente orgulhoso de tê-la recebido. O Manifesto da Junta Francesa para a Emancipação, de julho de 1866, dizia o seguinte: "A Sua Majestade, Imperador do Brasil. Senhor. No momento em que a República dos Estados Unidos, vitoriosa de uma guerra longa e mortífera, acaba de dar a liberdade a 4 milhões de escravos, no momento em que a Espanha parece prestes a ceder à voz da humanidade e da justiça, ousamos dirigir a V. M. um ardente apelo a favor dos escravos do vosso Império. Sabemo-lo, Senhor, e ninguém na Europa o ignora, que V. M. é poderoso no vosso Império, e a vossa força reside na administração reconhecida e no amor sincero do vosso povo. Já abolistes o tráfico, mas essa medida é incompleta; uma vontade, uma palavra de V. M. pode trazer à liberdade 2 milhões de homens. Podeis dar o exemplo, Senhor, e tende a certeza de que sereis acompanhado, porque o Brasil nunca olhou a servidão como uma instituição divina. Vozes generosas levantam-se todos os anos nas Assembleias, na imprensa, no púlpito, para pedir a abolição. O número de escravos é menor que o dos homens livres, e quase um terço já existe nas cidades exercendo ofícios ou servindo de criados, e é fácil elevá-los à condição de assalariados. A imigração dirigir-se-á para as vossas províncias desde que a servidão tiver desaparecido. A obra da abolição, que deve atender aos fatos, interesses, situações, parece menos difícil no Brasil, onde, aliás, os costumes são brandos e os corações, humanos e cristãos. Desejamos a V. M., já ilustre pelas armas, pelas letras, pela arte de governar, uma glória mais bela e mais pura, e podemos esperar que o Brasil não será por mais tempo a única terra cristã afetada pela servidão. Temos a honra de ser de V. M. muito humildes e respeitosos servos."[43]

O manifesto, claro, havia tocado profundamente o imperador. Foi um balde de água fria no seu entusiasmo com a economia e na sua sensação de que vivia, pelo menos do ponto de vista das finanças, no melhor dos mundos possíveis. À Junta ele respondeu, ou mandou responder seu ministro de Estado dos Negócios Estrangeiros, Martim Francisco Ribeiro de Andrada, em 22 de agosto do mesmo ano de 1866, nestes termos: "Senhores. Tive a honra de levar ao conhecimento de S. M. o Imperador a carta na qual manifestáveis os vossos ardentes desejos pela abolição da escravatura no Brasil. Encarregado por S. M. de vos responder em seu nome e em nome do governo brasileiro, congratulo-me em poder-vos asseverar que as vossas intenções encontram o mais simpático acolhimento. Cabia-vos, senhores, a vós, cujas nobres expressões se elevam sempre em favor dos grandes princípios da humanidade e da justiça, testemunhar o ardor que empenhais no conseguimento de uma empresa tão grande como difícil, e é com a mais viva satisfação que o governo brasileiro viu que fazeis justiça aos sentimentos pessoais de S. M. o Imperador, aos dos membros do ministério, bem como à tendência da opinião pública no Brasil. A emancipação dos escravos, consequência necessária da abolição do tráfico, não passa de uma questão de forma e de oportunidade. Quando as penosas circunstâncias em que se acha o país o consentirem, o governo brasileiro considerará como objeto de primeira importância a realização do que o espírito do cristianismo desde há muito reclama do mundo civilizado. Aceitai, senhores, a segurança de minha alta consideração."[44]

Mas a atitude do imperador não ficou restrita apenas ao envio da carta e às satisfações que deu à Junta. Ambicioso por fazer parte de companhias tão ilustres, tomou algumas atitudes práticas nesse sentido. Aproveitando que estava em plena Guerra do Paraguai, baixou um decreto alforriando todos os cativos que se dispusessem a compor o quadro dos Voluntários da Pátria. Eis o Decreto 3725-A, de 6 de novembro de 1866: "Hei por bem ordenar que, aos escravos da nação, que estiverem nas condições de servir no Exército, se dê gratuitamente liberdade para se empregarem naquele serviço e, sendo casados, estenda-se o mesmo benefício às suas mulheres. Zacarias de Góis e Vasconcelos, do meu Conselho, senador do Império, presidente do Conselho de Ministros, assim o tenha entendido e faça executar. Palácio do Rio de Janeiro, 6 de novembro de 1866, 45º da Independência do Império. Com a rubrica de Sua Majestade, o Imperador."[45]

De fato, os escravos que aderiram à lei tiveram os seus direitos garantidos quando a Guerra do Paraguai terminou, em 1870, e foram alforriados. Mas além de ser uma ínfima minoria que aderiu ao programa, com o final da guerra esses ex-escravos e suas famílias se viram à míngua, sem nenhuma assistência do governo. Muitos retornaram para trabalhar para os seus ex-senhores nas fazendas, outros permaneceram nos centros urbanos e começaram a formar o núcleo do que mais tarde se tornariam grandes cortiços e favelas, que começavam a tomar conta da paisagem urbana do Rio de Janeiro no final do século XIX.

Mas a coisa não ficou por aí. Os últimos acontecimentos no mundo e a vaidade do imperador em fazer parte da civilização o levaram a pensar numa alternativa, numa tomada de posição mais enérgica com relação à escravidão, pois o cerco se fechava cada vez mais. Em sua opinião, a lei de 1850 já não era mais suficiente e não satisfazia o seu desejo de ser reconhecido pessoalmente como um homem ilustrado pelos seus pares europeus. Se a lei havia, no primeiro momento, colocado panos quentes na questão da escravidão com os ingleses, não era o caso com os franceses, e agora a questão era com eles.

Com o pretexto da guerra, que ocupava o tempo do imperador e se configurava naquele momento como prioridade no rol das preocupações imperiais, qualquer decisão acerca do tema escravidão deveria ser protelada e tratada como um problema relativamente secundário. Com isso o imperador, cuja vontade era de atender imediatamente à solicitação dos franceses, mas não podia arriscar o pescoço, ganhava tempo.

Mas o Manifesto de 1866 havia mexido tanto com a vaidade e com a cabeça do imperador que mesmo em meio à Guerra do Paraguai, ao longo de cinco anos, entre 1866 e 1871, ele não deixou de maquinar por um dia sequer, na solidão dos seus pensamentos, em que ninguém o podia sondar, um projeto que pudesse aproximar o Brasil dos anseios da civilização, ao mesmo tempo que não insuflasse os ânimos dos escravocratas brasileiros. O imperador queria manter um pé em cada uma das duas canoas que tomavam rumos distintos. Uma hora as pernas ficariam curtas, e a opção por uma delas ou a queda seria inevitável.

Eis que, do espírito sempre conciliatório do imperador, procurando arrumar um meio-termo entre o real e o ideal, surge uma ideia que, se por um lado não resolveria de todo o problema da escravidão, por outro amenizaria, por mais alguns anos, imaginava, assim como a lei de 1850, os ânimos dos mais exaltados no Brasil e no exterior, sem, no entanto, provocar mudanças bruscas no *status quo*. Essa ideia era a Lei do Ventre Livre.

No seu projeto, no artigo 1º, a lei dizia: "Os filhos de mulher escrava que nascerem no Império desde a data desta Lei serão considerados de condição livre."[46]

O problema era o primeiro parágrafo desse primeiro artigo: "Os ditos filhos menores ficarão em poder e sob a autoridade dos senhores de suas mães, os quais terão a obrigação de criá-los e tratá-los até a idade de 8 anos completos. Chegando o filho da escrava a essa idade, o senhor da mãe terá opção, ou de receber do Estado a indenização de 600$000, ou de utilizar-se dos serviços do menor até a idade de 21 anos completos. No primeiro caso, o Governo receberá o menor e lhe dará destino, em conformidade com a presente Lei."[47]

Na prática, numa conta simples, a Lei do Ventre Livre adiava em duas décadas a solução paliativa do problema e em mais de, no mínimo, quatro décadas a solução definitiva.

Em duas décadas, a solução paliativa porque, ao emancipar os nascidos no ano de 1871, considerando que o parágrafo primeiro dava aos senhores o direito de tutela dos nascidos nesse ano até completarem 21 anos, os emancipados por essa lei só se beneficiariam a partir de 1891, quando então a geração nascida em 1871 completaria 21 anos.

E em no mínimo quatro décadas a solução definitiva pois, com a expectativa de vida reduzidíssima, os escravos que não se enquadravam na nova lei — que tinham nascido, portanto, antes de 1871 — trabalhariam por mais 30 ou 40 anos, até que com as suas mortes apenas a escravidão fosse se extinguindo por falta da reposição desses escravos, isso já entradas as primeiras décadas do século XX.

Como se pode ver, no caminho do meteoro que se tornava a economia do Império a partir de 1850 havia ainda esse imenso obstáculo chamado escravidão. Mais dia, menos dia esses dois elementos estranhos um ao outro — o liberalismo e o escravismo — se chocariam frontal e definitivamente.

Como não havia sido dessa vez, cabia ainda ao imperador o fardo de seguir conciliando o ideal e o real, ou seja, o que seus desejos e pensamentos queriam — o fim da escravidão — e o que a realidade de concreto armado lhe impunha — a dependência de uma economia ainda fortemente fundada no trabalho escravo e no comércio de commodities.

Como um animal enorme e paquidérmico, essas questões se arrastariam ainda por muito tempo, lenta e preguiçosamente.

O INSTITUTO HISTÓRICO E GEOGRÁFICO BRASILEIRO: A AGÊNCIA DE MARKETING DO IMPERADOR

Passado o conturbado período de contestação à Regência e ao regime monárquico, a primeira providência que o imperador tomou, assim que se sentiu mais maduro e mais à vontade na posição que ocupava, foi a de buscar solucionar um problema que era crucial para a manutenção da Monarquia em meio às repúblicas latino-americanas.

Tratava-se de se afastar definitivamente de qualquer passado colonial e construir nada mais, nada menos que uma nação. Para que a nação brasileira emergisse, era preciso que o Brasil colonial e lusitano fosse superado em todos os seus aspectos, menos em um: a necessidade da manutenção da Monarquia, que na visão dos antimonarquistas da época se apresentava como o maior obstáculo no caminho de uma jovem nação, que há muito se deveria ter aproximado dos ideais das revoluções francesa e americana.

O grande desafio do imperador e de seu *entourage* intelectual era o de como implodir e destruir um passado, já que só assim se poderia construir uma nova nação, sem abalar e mantendo de pé, incondicionalmente, alguns pilares, e o maior deles era justamente a própria Monarquia.

Eis que alguém soprou nos ouvidos do imperador a fórmula mágica: a memória. Era, portanto, preciso começar a escrever a História do Brasil. Uma história que colocasse as coisas no seu devido lugar naquela cornucópia de raças, religiões, ideologias políticas, interesses econômicos etc. que compunha o quadro do Brasil independente.

E colocar as coisas no devido lugar, para o imperador, era legitimar a Monarquia, reprimindo todo e qualquer tipo de contestação que a vinculasse ao passado e exaltando-a como o grande agente do projeto de nação que consolidaria a independência política do país, e não um empecilho ao progresso e à modernidade.

A identidade da nação que surgia não se deveria assentar, portanto, na eliminação da civilização e da influência portuguesas, salvo no seu aspecto da dependência política. Para que essas questões se resolvessem definitivamente, D. Pedro II encarregou de analisá-las o historiador Francisco Adolfo de Varnhagen, que escreveria entre os anos de 1854 e 1857 uma *História Geral do Brasil*, cujo objetivo principal era fazer um verdadeiro elogio da colonização portuguesa. Interpretação essa feita sob medida para vestir a nação com a roupagem que mais interessava ao imperador e à Monarquia.

O IHGB — Instituto Histórico e Geográfico Brasileiro — foi fundado em 1838, pouco antes da maioridade antecipada do imperador, e deveria servir justamente para fazer pesquisas sobre o país nas mais diversas áreas do conhecimento, entre elas a história, cujo representante seria Varnhagen. Comparado com os dias de hoje, o instituto, pelo teor oficial de sua produção intelectual, poderia ser considerado como uma espécie de departamento de propaganda e de imprensa do Império.

A agência de marketing do imperador.

O IHGB deveria produzir uma memória positiva da história do Brasil. Interpretação que só seria superada quase um século depois, na década de 1930, com os estudos e a publicação das obras de historiadores, como Gilberto Freyre, Caio Prado Júnior e Sérgio Buarque de Holanda.

Depois que alguns intelectuais europeus, tais como Southey e Gobineau, que de passagem pelo país haviam traçado o pior quadro possível para o futuro do país, considerando sobretudo a influência da cultura negra, D. Pedro II determinou que Varnhagen encontrasse uma contrapartida menos sombria para o inexorável destino que estava reservado ao Brasil, tornando-o, assim, o historiador oficial do Império.

O imperador tinha medo desse futuro e Varnhagen lhe indicaria o caminho da salvação: a europeização, o branqueamento da população, o Estado como principal motor do desenvolvimento. E se era o Estado, era o rei e o regime monárquico, consequentemente.

Nascido no Brasil, em 1816, filho de um engenheiro alemão, Varnhagen passou grande parte de sua vida em Portugal. A sua relação com D. Pedro II começa ali, mesmo que indiretamente, quando ele se alista voluntariamente no Exército de D. Pedro I para combater D. Miguel. Mas só a partir de 1839, quando estreita relações com o recém-fundado Instituto Histórico e Geográfico Brasileiro, é que ele começa a amadurecer a ideia de voltar ao Brasil.

Chega em julho de 1840, nas vésperas do golpe da maioridade do imperador, ocorrido em 23 de julho, e toma consciência da real situação política que vivia o país desde a abdicação de D. Pedro I. Logo retorna a Portugal, onde decide escrever uma *História Geral do Brasil.* Ao longo da pesquisa para o livro, Varnhagen e o jovem imperador tornaram-se amigos fraternos. Correspondiam-se frequentemente, e por meio dessas missivas Varnhagen mantinha-o informado a respeito do andamento das pesquisas sobre a história do Brasil.

Numa carta de 20 de agosto de 1855, Varnhagen anuncia, enfim, ao imperador, a publicação, em Madri, no ano anterior, do primeiro volume de sua *História Geral do Brasil*. Em 14 de julho de 1857, em outra carta a D. Pedro II, Varnhagen anuncia o ponto final do segundo volume do livro e revela ter nele trabalhado "às vezes, 20 horas por dia".[48]

O jovem imperador aproximou-se logo de Varnhagen, pois foi este quem lhe abriu os olhos para o poder e a força que a história tinha, de um lado, no processo de dissipação das fortes dissidências internas em torno da manutenção do regime monárquico, e, de outro, no processo de construção de uma nação recém-independente que ainda carecia de tudo.

É Varnhagen que, por meio de sua interpretação e invenção da história do Brasil, vai elevar a Monarquia à posição de grande agente da civilização e do progresso do país, diante da imensa degeneração que representava o quadro composto pelos naturais da terra (os índios) e pelos escravos africanos introduzidos no país.

É desse modo que ele inicia a obra *História Geral do Brasil*, fazendo um elogio ufanista à natureza do país e um escárnio aos naturais da terra, aos quais referia-se como "essa gente vagabunda". Comparando-os aos europeus, atribuía-lhes um estado de natureza e selvageria, enquanto o europeu era o civilizado.

A civilização era para ele o mundo europeu, a razão, a religião cristã, a cultura letrada etc., de modo que a descoberta do Brasil e a colonização portuguesa deviam ser cultuadas como acontecimentos diretamente encaminhados pela Providência Divina a fim de levar luz onde imperavam as trevas do estado de natureza.

Na visão dele, se os portugueses não tivessem aportado, a barbárie e o estado de natureza se teriam perpetuado, e o Brasil, tal qual se conhecia no século XIX, seria impensável. A única utilidade que

Varnhagen via na perpetuação da memória desse povo natural da terra era que o estado em que viviam servisse para as gerações do presente e do futuro como um antimodelo, um exemplo de tudo aquilo que não deveríamos ser.

Desse modo, o presente e o futuro do Brasil se assentariam, segundo a interpretação de Varnhagen, não no nosso passado primitivo, mas no passado que foi trazido até nós pelos portugueses, suas heranças, ou seja, o cristianismo, a lei, a civilização, a cultura e, é claro, o rei, a Monarquia.

Quanto à introdução do trabalho escravo e do elemento servil, Varnhagen é breve, talvez porque soubesse que o verdadeiro grande negócio dos portugueses era, justamente, o tráfico negreiro. Limitou-se a dizer que certamente o Brasil teria sido melhor sem eles e que antes tivessem escravizado os índios, fazendo aqui uma crítica aos jesuítas, que os protegeram, e um elogio aos bandeirantes, que os caçaram e escravizaram.

Desse modo, toda discordância, toda crítica, toda oposição e toda revolta contra a Monarquia não tinham o menor sentido de ser. A construção da nação, da cidadania brasileira e do progresso do país estava, necessariamente, nas mãos da Monarquia. Era ela a herdeira de toda a razão, da luz e da civilização trazidas pelos europeus portugueses para esta terra selvagem e desagregadora.

Convenhamos que na década que vai de meados de 1840 a meados de 1850 esse discurso de legitimação da Monarquia de Varnhagen era tudo que o imperador precisava para dissipar as tempestades e navegar em céu de brigadeiro. Não é à toa que o jovem monarca deu a ele, na conhecida sociedade de troca de favores brasileira, todas as regalias possíveis e imagináveis. Varnhagen se tornou o marqueteiro pessoal do imperador, e o IHGB, a sua agência de marketing. Funcionou, pois justamente esses anos, que se estendem até a década de 1870, correspondem, não por mero acaso, ao período de ascensão da Monarquia.

Pela contribuição prestada ao imperador, Varnhagen recebeu várias honrarias e cargos públicos. Já em 1842, foi nomeado Adido de Primeira Classe na legação do Brasil em Lisboa. Em 1851, foi promovido a Encarregado de Negócios em Madri. Em 1855, enviado como adido representando o imperador na cerimônia de aclamação de Pedro V em Portugal. Nessa mesma época ele recebe do Império brasileiro a honraria nobiliárquica de Cavaleiro da Ordem de Cristo. Em 1857, vai ao Peru representar o Brasil como ministro plenipotenciário. Em 1861, assume o mesmo posto na Venezuela. Em 1863, ministro em Cuba. Em 1864, ministro no Chile. Em 1868, foi removido para Viena como adido, mas em 1871 é promovido a ministro plenipotenciário. Mas o que ele mais almejava só viria em 1872, o título de Barão de Porto Seguro, e, em 1874, o de visconde.

Como vimos também com o caso de Mauá, o imperador sabia retribuir regiamente aos que se colocavam de modo incondicional ao lado dele e da Monarquia. Aos amigos, tudo; aos inimigos, a força das leis. Ainda hoje se ouve dizer isso nas ruas; parece que certas coisas realmente não mudam nunca.

O IMPERADOR DIANTE DE UM TABULEIRO DE XADREZ

Diante desse quadro que o tempo apresentou ao imperador, alguns passos eram inevitáveis no sentido de procurar adequar-se à nova realidade que rondava o Império.

A primeira questão que teria que enfrentar era a do herdeiro do trono. Seus dois filhos homens haviam morrido ainda crianças, e a filha Isabel, que foi declarada herdeira em 26 de julho de 1860, com 14 anos, era uma mulher, e rotina de mulher, no Brasil, naquela época, era viver em casa, dedicando-se à família, ao marido e aos filhos.

O grande projeto do imperador, como vimos, era ter feito do seu filho Afonso o homem dos novos tempos, um Mauá. O fato de ter restado apenas suas filhas e dada a situação das mulheres no século XIX, a saída seria cuidar de encontrar um genro que, ao lado da Princesa Isabel, pudesse levar a cabo uma mudança sem precedentes no Brasil e assim aproximá-lo um pouco mais da civilização.

O imperador sabia que a pueril Isabel Cristina ia sofrer todo tipo de preconceitos, já que ele próprio, que não fugia muito do pensamento de sua época, também imaginava que, contando apenas com uma herdeira, o caminho para o Terceiro Reinado seria um pouco mais longo e tortuoso. Para resolver ou amenizar o problema era necessário armar uma estratégia de longo prazo, que passava necessariamente por arrumar um príncipe consorte com pensamento liberal, ou seja, era preciso começar a tratar do casamento da princesa.

Numa sociedade como a brasileira, em que mulheres eram tratadas de forma extremamente secundária, um apêndice do marido e da família, encontrar o príncipe consorte era o mesmo que encontrar um herdeiro para o trono. No Brasil, dificilmente o imperador encontraria um pretendente à altura. Um príncipe europeu corria o risco de sofrer o mesmo preconceito sofrido por D. Pedro I, pelo fato de não ser brasileiro nato.

Outra questão que apavorava a Monarquia brasileira, como vimos, era a da escravidão, que uma hora ou outra, mais cedo ou mais tarde, teria que ser enfrentada. Desde 1808, passando por 1822 e avançando o século XIX adentro, o Brasil vinha enfrentando pressões no sentido de primeiro abolir o tráfico e depois a escravidão. Não só pelas exigências externas, mas pela própria dinâmica da economia mundial que, ao se ir transformando ao longo do tempo, transformava também a sociedade, a cultura e as relações de produção e trabalho.

A escravidão, inevitavelmente, estava fadada ao fim e, desse modo, também os meios de produção baseados nesse modelo de trabalho. O imperador sabia dessas mudanças e tinha que pensar num projeto para o país que passasse ao largo da escravidão.

Outro aspecto vinculado à questão da escravidão era o racial. Envolvido pelo pensamento nebuloso de Varnhagen e Gobineau, como vimos, e no afã de aproximar o Brasil da civilização europeia, D. Pedro II tinha que arranjar uma solução para o problema da escravidão neste duplo sentido: primeiro, por causa das mudanças estruturais dos meios de produção e do universo das relações de trabalho e consumo, e, segundo, por questões raciais e culturais.

Para matar esses dois coelhos com uma só cajadada era preciso seguir seus conselheiros, ou seja, iniciar um projeto sério no sentido de implementar e fomentar a imigração e conduzir um processo de passagem do trabalho escravo para o assalariado.

O pulo do gato dessas questões todas é que implicava, necessariamente, entrar em rota de colisão com tudo aquilo que tinha sido até então o principal pilar da Monarquia, ou seja, o consenso fabricado pelas elites escravocratas e latifundiárias, que se beneficiavam com a permanência desse estado de coisas, em torno da legitimidade da Monarquia como regime de governo no Brasil. Romper com essa elite de forma tão abrupta seria o mesmo que cometer um suicídio político.

Desse modo, restava ao imperador o enorme desafio de como pensar na abolição da escravidão se o país ainda dependia economicamente da venda de commodities, sobretudo do café, que era o principal produto de exportação do país, e a produção era baseada no trabalho escravo. O trabalho escravo não sustentava apenas os fazendeiros, mas também a Monarquia.

Outra questão era como diminuir progressivamente a dependência da agricultura e fomentar o desenvolvimento da indústria, do comércio, das cidades, enfim, de uma outra mentalidade mais em consonância com a nova fase por que passava o capitalismo com a Revolução Industrial e a política com o liberalismo, sem pôr em risco a Monarquia.

Das revoluções que vinham ocorrendo desde a Revolução Francesa, estava claro para o imperador que a situação das monarquias no mundo com o advento das transformações políticas, econômicas e sociais não era nada favorável. Em 1848, a sua própria irmã Francisca havia sido banida da França, junto com toda a família de

Luís Felipe de Orleans, conhecido como o "rei burguês", pai do seu marido, Francisco Fernando de Orleans, Príncipe de Joinville, passando todos a viver exilados na Inglaterra. A tendência dessa nova mentalidade era a república, e não a monarquia.

Por isso mesmo é que o imperador havia desenvolvido uma verdadeira convicção em relação ao Terceiro Reinado: teria que, como na Inglaterra, se engajar nessa nova mentalidade que havia despontado no horizonte. O reinado da Princesa Isabel e do príncipe consorte deveria estar necessariamente vinculado ao novo. Deveria distanciar-se das heranças coloniais, do escravismo, da monocultura, do latifúndio e ir se aproximando da classe média urbana, dos empresários, dos profissionais liberais, dos industriais, dos banqueiros. A nova ordem mundial incluía esses elementos, e o Terceiro Reinado só se viabilizaria se estivesse visceral e intrinsecamente a ela ligado.

O imperador se encontrava nessa situação angustiante no final da década de 1850. Embora soubesse de tudo isso, era um homem culto, que mantinha contato com parentes e amigos intelectuais europeus, tinha plena consciência do mar de dificuldades que teria que enfrentar. Se investisse contra os alicerces da Monarquia, feriria de morte a relação com seus principais mantenedores e, ao traí-los, com políticas do tipo libertação de escravos, incentivos ao comércio e à indústria, certamente perderia o trono. Já bastava a grande aventura na qual ele havia embarcado com Mauá, que embora tivesse dado certo, poderia ter dado errado e posto tudo a perder. Viver é arriscado.

Essa situação *sui generis* fez com que no imperador habitassem dois espíritos contraditórios, um liberal e outro conservador. Como um pêndulo, de um lado a faceta liberal só fazia planos para o futuro, de outro a faceta conservadora primava por manter as coisas no presente exatamente como estavam, quando muito ensaiando pequenas mudanças consentidas.

Como se pode ver, não eram poucas e nem superficiais as transformações que a nova ordem mundial exigia. Não havia tempo a perder. É nesse momento que toda uma conspiração se arma no círculo de amigos e colaboradores mais próximos do imperador, passando por Caxias, comandante da tropa de elite; por Rio Branco, comandante da tropa política, Varnhagen, Gobineau, comandantes da tropa intelectual; e Mauá, comandante da tropa econômica.

A partir desse momento, cada peça movida no tabuleiro de xadrez deveria seguir um critério rigoroso, ritmando as mudanças de forma pendular, ora batendo, ora assoprando, pois a Monarquia ainda estava na corda bamba. Nessa engenharia, um norte, no entanto, nunca deveria ser perdido: encaminhar a qualquer custo o país para o futuro que o imperador havia planejado. Esse custo só não podia ser, evidentemente, o colapso da Monarquia.

PARTE II

A conspiração

UM PROBLEMA PARA O IMPERADOR E PARA O IMPÉRIO

morte dos filhos homens gerou para o imperador um problema real e de dimensões consideráveis. Num país atrasado, arcaico e conservador como o Brasil, a herdeira presuntiva do trono, a Princesa Isabel, enfrentaria enormes dificuldades em se firmar como uma solução viável para o Terceiro Reinado.

Como a relação entre o imperador e Teresa Cristina, a imperatriz, havia esfriado, falava-se até na possibilidade de a Condessa de Barral ser sua amante, e a chance de que viesse a nascer outro varão estava completamente descartada. O futuro da Monarquia no Brasil passaria necessariamente pela escolha de um elemento estranho à família, ou seja, estava vinculado à escolha de um genro, o que dava ao casamento de Isabel uma dimensão das mais sérias e delicadas.

Por enquanto, com as meninas ainda pequenas e o reinado em processo de franca expansão, passados os incidentes revolucionários do início do Segundo Reinado, esse problema estava guardado para o futuro. Ansioso e precavido, o imperador começou a articular o seu projeto para o Terceiro Reinado bem antes que esse futuro de fato chegasse.

Se os meninos tivessem sobrevivido, o reinado de D. Pedro II decorreria sem maiores percalços e o casamento deles não se configuraria num problema de Estado. Se a questão fosse o casamento do Príncipe Afonso, o problema estava resolvido, pois era só arrumar uma princesa e o casamento se realizaria sem maiores alardes, pois a princesa consorte cumpriria apenas o papel que estava reservado para as mulheres, que era o de ser mãe, esposa e dona de casa. Esse, aliás, seria o maior problema enfrentado pela Princesa Isabel, uma resistência nesse sentido, como veremos.

A questão do casamento de Isabel ganha conotação de assunto de Estado porque certamente o escolhido por ela, e por seu pai, seria fatalmente o imperador quando chegasse a hora e a vez do Terceiro Reinado.

Antenado com as mudanças sociais no Brasil, o imperador procura ao máximo articular um projeto para o Terceiro Reinado que envolvesse a princesa e o genro, diferente de tudo aquilo que havia sido o seu reinado até então. O príncipe consorte deveria ser necessariamente um homem com pensamento mais liberal do que conservador, ou seja, alguém que estivesse em sintonia com a nova realidade do capitalismo internacional que já estava a todo vapor na Europa e na Inglaterra da Revolução Industrial.

A primeira dificuldade a ser enfrentada pelo imperador na busca de um candidato a príncipe consorte era o isolamento da Monarquia brasileira, única nas Américas, em relação às Monarquias europeias, o que dificultava o diálogo. Na Europa, era comum que as Cortes negociassem o casamento dos seus filhos. Para o imperador não restava outra alternativa senão lançar mão da ajuda das suas irmãs Januária e Francisca e dos cunhados, Conde D'Áquila e o Príncipe de Joinville. Assim é que os primeiros pretendentes foram inevitavelmente os primos: primeiro o Príncipe

Luís de Bourbon, filho de Januária, e depois o Príncipe Pierre de Orleans, Duque de Penthièvre, filho de Francisca.

O problema estava posto. Leopoldina, irmã de Isabel, poderia esperar a conveniência do tempo, mesmo porque, não sendo ela a herdeira presuntiva do trono, despertaria muito pouco interesse e atenção dos príncipes disponíveis na Europa.

Já quanto à Princesa Isabel, herdeira do trono, a questão era outra, pois esse aspecto, certamente, despertaria a atenção e a cobiça de várias dinastias europeias interessadas em fazer de seus príncipes imperadores em algum reino, próximo ou distante. O casamento da Princesa Isabel passou então a ser tratado como um negócio e, como por trás de todo bom negócio de Estado, começaram também as articulações, os lobbies e as conspirações.

O primeiro a se manifestar foi o cunhado de D. Pedro II, o rei de Portugal D. Fernando de Saxe Coburgo Gotha Koháry. Ele mesmo herdeiro do trono de Portugal após a morte da esposa, a Rainha Maria II, irmã de D. Pedro II, morta em 15 de novembro de 1853 por complicações no seu décimo primeiro parto. Naquela altura, 1855, contando a Princesa Isabel apenas 9 anos de idade, as propostas de D. Fernando abriram as negociações, que se arrastariam por algum tempo e que dariam muito o que falar.

O primeiro pretendente oficial foi, portanto, o primo Luís de Bragança, o segundo filho de D. Fernando e de D. Maria, que mais tarde, em 1861, com a morte do pai e do irmão Pedro V, assumiria o trono de Portugal como Luís I, rei de Portugal.

Em correspondência com D. Pedro II, D. Fernando diz: "Tu diz-me que de Bruxelas te tinham mandado dizer que havia em Lisboa ideias ou desejos de certa união de família entre Lisboa e o Rio. A minha resposta a isso é leal, como eu sempre costumo ser. Nunca tinha eu até hoje falado a ninguém em semelhante negócio; por isso, o que em Bruxelas se disse são meras oficialidades, cuja origem ignoro. É inteiramente contra o meu gênio, em certas coisas bastante orgulhoso, tomar a iniciativa em semelhantes questões. Nem quis nunca cair na indiscrição de tocar num assunto em que tu me tinhas falado. Com a mesma franqueza digo que tu decerto não duvidas que uma tal união não seria, por mil motivos, um dos meus mais queridos sonhos. Não direi entretanto mais, porque não sei o que tu, sobre isso, pensas, e mesmo, como já mencionei, porque nunca quero ser indiscreto, nem adiantar-me ou contrariar os projetos dos outros."[1]

As palavras de D. Fernando soam como um pedido de desculpas a uma possível bronca de D. Pedro II, já que uma notícia como essa, da articulação do casamento da herdeira do trono no Brasil com o herdeiro do trono de Portugal, poderia suscitar nos adversários da Monarquia uma série de intrigas e convulsionar a política brasileira num momento em que tudo andava relativamente em paz.

Dois anos depois, em 1857, contando a Princesa 11 anos, D. Fernando voltou a assediar D. Pedro II. Em carta ao imperador, ele diz: "O que seria bem agradável e bem desejável para nós é se, algum dia, entre ti e entre nós se pudesse tratar de algum consórcio. Que dizes tu a isso? Eu sou talvez bem indiscreto de falar assim. Não quero, porém, ter remorso de não ter tomado essa talvez bem ousada iniciativa enquanto ainda é tempo. Hoje indiquei só. Estou, porém, pronto a desenvolver o que disse a respeito dos consórcios."[2]

Insistente, alguns meses depois, em carta de 7 de setembro de 1857, D. Fernando escreve novamente ao imperador: "Sou-te sabidamente grato pelo modo como minha lembrança foi por ti recebida, e sinto agora não ter feito já antes semelhante pergunta. Logo falaremos com amor nesse, para nós, tão importante assunto [...] o negócio mais sério da tua carta [...] é o falado consórcio. Foi para mim um momento de verdadeira alegria quando li o que acerca de tal negócio me escreves, porque esse laço demais entre nós foi sempre um caro sonho meu. Espero, porém, que sobre esse ponto nos entenderemos e estou pronto a entrar contigo em qualquer arranjo logo que o queiras. Parece-me que o caso não é de imediata urgência, porém é bom trabalhar para o futuro, para não ficar tudo para última hora. Tu vês, portanto, meu querido mano, que, por hora, estamos perfeitamente de acordo e, repito, que quando quiseres, mais diremos o mencionado, para nós, tão agradável assunto. E quanto às cogitações de residência no Brasil não pode haver a menor dúvida de dizer-se, desde já, que sim, porque ela é justa e natural."[3]

Sempre que se correspondiam, o assunto voltava à baila. Antes do incidente que esse assunto geraria, uma última carta de 11 de novembro de 1857 ainda tocava na questão. Dizia D. Fernando: "E quanto ao projeto [...] ainda muitas vezes sobre esse assunto falaremos e as suas conveniências e inconveniências ponderaremos com a sincera franqueza de amigos e irmãos."[4]

Embora só dispondo das cartas enviadas por D. Fernando ao imperador e mesmo desconhecendo as cartas enviadas por este àquele, é facilmente possível supor que havia um franco diálogo entre ambos em torno do que ao menos D. Fernando chamava de projeto e de consórcio.

Mas casar a herdeira presuntiva do trono do Brasil com o filho de D. Fernando envolvia uma questão muito mais complexa do que se podia imaginar a princípio. Isso pelo simples fato de que o filho de D. Fernando era herdeiro do trono de Portugal. Passados apenas trinta e poucos anos da Independência do Brasil, essa união poderia significar novamente um retrocesso do Brasil à condição de Reino Unido a Portugal. O negócio era tão impensável, basta lembrar toda a celeuma que havia ocorrido no início da década de 1830 e que levou à abdicação de D. Pedro I, que o Imperador D. Pedro II tinha toda a razão em ter sempre mantido o maior sigilo sobre essas conversas. Tratar desse assunto era mexer em casa de marimbondos.

Mas ao que parece, se do lado de D. Fernando a intenção era exatamente essa, certamente não era a de D. Pedro II, que não teria o menor interesse na retomada da união. Em última análise, se o projeto ou consórcio tivesse sido levado a cabo, seria exatamente isso que ocorreria, pois embora Luís de Bourbon não fosse herdeiro do trono, e sim o seu irmão Pedro V, com a morte precoce deste, aos 24 anos, em 1861, Luís de Bourbon é quem assumiria o trono de Portugal.

E o imperador tinha razões de sobra para se preocupar com o diabo que ficava atrás da porta, pronto para se intrometer em tudo, pois não demorou muito para que as notícias sobre o conteúdo dessas perigosas correspondências, entre D. Fernando e D. Pedro II, deixassem o âmbito privado e caíssem na boca pequena.

Tudo começou em Portugal. O jornal humorístico *Asmodeu*, de Lisboa, fundado poucos anos antes, em 9 de fevereiro de 1856, tendo recebido de algum informante a notícia do pretenso casório, fez com que a fofoca repercutisse.

Reproduzido no Brasil pelo jornal *A Marmota*, no dia 16 de outubro de 1857, tal notícia, por mais que tenha sido publicada em tom jocoso, no formato de um simples versinho, veio acompanhada de uma análise ácida das consequências que tal consórcio poderia causar.

Começa dizendo que o casamento não tem nenhuma das razões, nem conveniência e nem política, mas o fato de "ser a senhora D. Isabel — Princesa Imperial — herdeira por consequência do trono, na falta de seu augusto pai é uma circunstância que poderia para o futuro [...] trazer consequências funestas. E certo e bem previdente aquele que acautela as coisas, de modo que, dados os acasos da sorte, menos funestas sejam as consequências que lhes são inerentes".[5]

Da constatação o texto passa logo para a ameaça: "Esta é nossa opinião e sabemos que há muita gente que pensa como nós [...]

a imprensa toda se levantará para advogar a causa dos interesses políticos do país quando do tão importante assunto se tratar."[6]

Reproduz o verso publicado no jornal *Asmodeu*, de Lisboa:

"Há de ser coisa fatal
De crua guerra civil
D. Luís de Portugal
Futuro Rei do Brasil."[7]

Com o assunto ganhando conotação de guerra civil, o artigo arremata ameaçadoramente: "Não, os portugueses que pensarem bem, que se acharem em boa-fé entre nós, que forem amigos da paz e tranquilidade, não devem fazer votos por essa aliança e menos ainda os brasileiros."[8]

A notícia se alastrou como rastilho de pólvora. E como onde há fumaça há fogo, os ventos uivaram como num furacão.

DEPOIS DA TORMENTA, O CASAMENTO DA PRINCESA ISABEL

O que o imperador jamais poderia imaginar era que os diálogos que vinha mantendo com seu cunhado em Portugal vazariam para a imprensa. A reprodução do versinho irônico publicado em Lisboa no *Marmota*, que havia até passado despercebido de muita gente, dado o fato de que a Princesa Isabel ainda era uma mera criança, enfureceu profundamente o imperador mais pelo fato de ter sido vazada uma confidência sua particular do que pelo incêndio que causou. O fogo ele não temia, sabendo que Caxias se encarregaria de apagá-lo (se ou quando surgisse) apenas com um sopro.

Pelo teor da última correspondência que trocaram tratando do assunto, já depois da celeuma instaurada, fica claro que D. Pedro II cobrava veementemente de D. Fernando a responsabilidade pela divulgação de suas conversas e a suposta traição em que se configurava o ato. Em carta de 7 de setembro de 1857, o rei de Portugal trata de defender-se. Diz que "se algum jornal tem falado nisso, não é, decerto, por culpa minha. Tu bem sabes que semelhante ideia está em muitas cabeças. Sinto muito que, sem culpa nossa, os jornais tanto dele se ocupem. Mas, no fundo, que importa isso? Eles fazem o seu oficioso dever e nós ficamos por ele comprometidos para nenhuma decisão ou indecisão".[9]

Ressentido, o imperador jamais tratou novamente do assunto com o Rei D. Fernando. Enfrentou com parcimônia toda a avalanche que a ele sobreveio e recuou para que no momento certo, escaldado por tal experiência, pudesse voltar a tratar com alguém na Europa sobre o seu projeto.

Mas como quem fala demais dá milho aos bodes, a oposição fez questão de inflamar os discursos e politizar a notícia que havia chegado ao Rio de Janeiro por meio de um simples e singelo versinho.

Em 1859, dois anos passados do incidente, o diabo ainda mostrava o rabo. Numa série de artigos publicada no *Jornal do Commercio* no mês de agosto, intitulada "O casamento de Sua Alteza Imperial, a Sra. Princesa D. Isabel, com Sua Majestade Real, o Sr. D. Luís, primeiro Duque do Porto", um autor anônimo voltava a aporrinhar a vida do imperador por ter aventado tal possibilidade.

Os artigos correram a Corte, e as conversas sobre o casamento da princesa com o herdeiro do trono de Portugal ganharam tal vulto que despertaram o espírito de dissidência dos descontentes, que foram calados em 1831. O deputado Francisco Xavier Pinto Lima entrou, em 19 de agosto de 1859, com uma interpelação ao Ministro do Império Ângelo Moniz da Silva Ferraz, o Barão de Uruguaiana, pedindo esclarecimentos.

Na interpelação, ele questionava "se é exata a notícia do casamento de uma das sereníssimas princesas com um príncipe português".[10] Recebeu do ministro do Império uma resposta ríspida: "Pensamento algum existe a tal respeito, e permita também a Câmara dos Senhores Deputados que eu não acrescente mais uma só palavra ao que acabo de declarar."[11]

Mais do que rapidamente o deputado trata de explicar-se, esfriando a questão. Percebendo que se tratava de um verdadeiro vespeiro, diz: "Não era da minha intenção discutir a vantagem ou não desse consórcio; tive em mira verificar se tais boatos tinham fundamento, porque, nesse caso, nenhum inconveniente haveria que o país o soubesse, mas se, pelo contrário, como nos disse o honrado ministro do Império, nada absolutamente existe, julgo que fiz um serviço provocando essa declaração, a fim de que não se continue a propalar uma notícia que poderia criar embaraço a qualquer aliança que porventura tenha em vista a consumada sabedoria do nosso augusto Monarca."[12]

O imperador não escondia de ninguém que havia ficado profundamente irritado com a inconfidência exposta nos artigos publicados no *Jornal do Commercio*. Irritou-se a ponto de Caxias, ministro da Guerra e presidente do Conselho, tê-lo procurado nessa ocasião, a fim de saber se era do seu desejo que alguma atitude fosse tomada contra o jornal e alguma sindicância fosse levada a cabo para descobrir quem era aquele autor anônimo.

O imperador foi inicialmente a favor de que Caxias interviesse no jornal impondo uma certa censura, e disse que "à imprensa se responde com a imprensa", porém que ele fizesse o que entendesse, "pois que não vi que estivesse disposto a deixar de pedir à redação do *Jornal do Commercio* que cortasse certos trechos que parecessem mais inconvenientes, dos artigos. Creio que faz mal".[13]

Mas logo em seguida, sendo o maior interessado em que o assunto sumisse do noticiário, foi taxativo no sentido de desautorizar qualquer atitude de Caxias contra o jornal: "Deus queira que não se lembrem de combater o Cévola por outro meio, que é melhor para provocar novos Cévolas famintos."[14]

Na verdade, o casamento da princesa com o rei português sempre reaparecia quando a intenção era atacar o imperador.

Como se pode ver, a ganância de D. Fernando para abocanhar Isabel para um de seus filhos despertou um sentimento que estava adormecido havia anos — a hostilidade contra os portugueses e contra a Monarquia — e, consequentemente, quase engendrou uma revolução. A primeira, em 1831, terminou como farsa; a segunda, talvez, poderia terminar em tragédia.

Mas, enfim, com a ação do comandante da tropa de elite do Império, os ânimos se arrefeceram e ao imperador ficou o aprendizado de que Portugal seria o último lugar do mundo onde ele procuraria um noivo para a jovem Princesa Isabel.

Menos de um ano depois desses entreveros, no dia 26 de julho de 1860, aos 14 anos de idade e de acordo com a Constituição brasileira, a Princesa Isabel foi declarada herdeira do trono e ao mesmo tempo a primeira senadora da história do Brasil.

Em 1862, aos 16 anos, o assunto do casamento voltou a se tornar uma questão de Estado. Charles Reybaud, um agente do Brasil na França, contratado pelo imperador para defender os interesses brasileiros naquele país, procurou certa noite o diplomata José Marques Lisboa em Paris para dizer-lhe que havia interceptado uma notícia que seria distribuída pela Agência Havas, dizendo que "Caxias seria despachado como plenipotenciário para tratar do casamento da Princesa Isabel com um príncipe francês, possivelmente o Duque de Chartres".[15] Sempre Caxias resolvendo os problemas do imperador.

A partir de 1864 — a princesa já com 18 anos —, na correspondência da família imperial entre o Brasil e a Europa, o assunto começa a aparecer com mais frequência. O primeiro nome que surge, depois do desastre inicial, é o de Pedro, Duque de Penthièvre, filho da irmã do imperador, Francisca, e por quem, depois de trocados retratos etc., a Princesa Isabel se tinha enamorado.

Na carta de Claremont, de 7 de agosto de 1863, D. Chica — como Francisca, a Princesa de Joinville, era conhecida na família — descrevia o filho para o imperador: "É muito forte e robusto.

O que me faz pena somente é que ele começa a ser surdo, o que o faz um pouco sisudo demais e não gostando de ver muita gente. É somente a sua surdez que me dá pena, pois ele (não é porque seja meu filho) é excelente moço e dá-me todas as satisfações possíveis, na sua conduta e nos seus estudos."[16]

Segundo consta em carta de D. Pedro II para a sua madrasta, D. Amélia — esposa de D. Pedro I, segunda imperatriz consorte do Brasil —, a Princesa Isabel já havia decidido se casar com Pedro e "nenhum outro", segundo sua própria expressão. A ponto de D. Amélia concordar com a princesa: "Para Isabel, o casamento com Pedro é, certamente, o que melhor conviria."[17]

O Príncipe de Joinville também aprovava incondicionalmente o negócio, e disse em carta de Claremont, em 6 de novembro de 1863, o seguinte: "Nada é mais difícil que casar uma jovem princesa [...] que responsabilidade, ainda mais quando essa princesa é herdeira de um trono [...] muitas vezes Chica e eu nos entretivemos sobre esse assunto. E mesmo alguns diplomatas brasileiros nos sondaram algumas vezes sobre a possibilidade de semelhante união."[18]

Mas o personagem principal na questão, que era o próprio Pedro, não demonstrava o menor interesse no assunto. Primeiro, porque teria que morar no Brasil se assumisse a condição de príncipe consorte; segundo, porque teria que renunciar ao título de príncipe francês, e terceiro, porque não havia se empolgado nem um pouco com a figura da Princesa Isabel. Assim como não se empolgaria com figura feminina nenhuma ao longo de sua vida, tendo permanecido solteiro até o fim dos seus dias e despertado com isso a inevitável pecha de ser homossexual.

Mas os tempos eram outros. D. Pedro II, por exemplo, havia se casado com Teresa Cristina de Bourbon-Duas Sicílias, por procuração, e visto a esposa napolitana pela primeira vez somente meses depois, quando ela desembarcara no Brasil. A nova geração já havia conquistado o direito de conhecer minimamente os seus pretendentes antes de qualquer decisão, mesmo sendo o casamento um grande negócio para as famílias, que envolvia a herança de direito a um trono, riquezas e territórios inteiros.

As vantagens do casamento do filho com a Princesa Isabel eram enormes para uma família de nobres franceses exilados desde 1848 na Inglaterra, e sem a menor perspectiva de reaver o trono francês. Sobrou para D. Francisca, desiludida com o comportamento do filho, dar a notícia a D. Pedro II de que o assunto pouco o havia interessado. Na carta enviada de Claremont no dia 7 de dezembro de 1863, ela explica: "Sabes o quanto sou tua amiga e por isso mesmo custa-me falar-te longamente, dando-te a resposta do Pedro. Essa prova de tua afeição e confiança é-nos muito preciosa e esperamos também que a resposta de nosso filho não mude o amor e a confiança que tens em nós [...] espero que hás bem de compreender que não quisesse o Pedro deixar sua pátria."[19]

Já o Príncipe de Joinville, para quem o filho Pedro deve ter confessado sinceramente sobre os verdadeiros motivos da recusa, mudou de tom do dia para a noite. Se antes era o maior entusiasta do negócio, e tudo indicava que não iria medir esforços para que ele se concretizasse, mudou da água para o vinho e passou, inesperadamente compreensivo, para o lado do filho.

Coube a ele, embora D. Chica já tivesse feito isso informalmente, falar com D. Pedro II sobre a decisão do filho e da família. Em carta de Claremont, de 6 de dezembro de 1863, ele justificava: "Proposta tão honrosa tanto para ele como para nós, e para a qual já estaria de certo modo preparado, pois já ouvira de brasileiros e de amigos um voto expresso e favorável a essa união [...] não é a ideia de um casamento brasileiro que o apavora [...] mas a perda da qualidade de francês que o fez decidir. Pedro e os seus primos nasceram na França, são príncipes franceses [...] a todo propósito fala-se da França e fizeram com que partilhassem da crença de que o acesso a seu país não lhes estava interditado para sempre [...] voltar para a França para lá erguer a bandeira da família e continuar a tradição de sua raça é o objetivo de todos esses rapazes [...] foi esse mesmo sentimento que encontrei no espírito de meu filho. Porque um casamento é um assunto bastante grave, e muito importante para que eu possa constranger a vontade do meu filho."[20]

Assim é que o Príncipe de Joinville pôs fim às especulações em torno do nome de seu filho Pedro, mas na mesma carta tratou de indicar pretendentes do seu meio para que o bom negócio não fosse de todo perdido. Com o intuito de substituir Pedro, Joinville indica outros dois príncipes franceses: "Os dois filhos do meu irmão Nemours, um de 21 e outro de 19 anos."[21]

Não seria mesmo na primeira tentativa que a questão se resolveria, nem da forma que havia indicado inicialmente o Príncipe de Joinville. A imagem do Brasil não era das melhores; a escravidão, as histórias e lendas que chegavam até a Europa sobre o país assustavam pelo exotismo, e dificilmente algum príncipe acostumado com os ares europeus encararia essa aventura nos trópicos.

Depois de outras tantas idas e vindas e muita tinta gasta em cartas aconselhando e desaconselhando nomes, o acerto final acabou ficando mesmo fechado nos nomes de Luís Augusto de Saxe Coburgo, filho da irmã do Príncipe de Joinville, Clementina de Orleans, para casar-se com a Princesa Isabel e tornar-se, portanto, o príncipe consorte, e Gastão de Orleans, filho do irmão do Príncipe de Joinville, o Duque de Nemours, para casar-se com a Princesa Leopoldina.

O casamento ficaria restrito apenas à conveniência política. O amor vinha depois. Para o jovem e ambicioso Gastão de Orleans, a ideia do casamento apareceu como uma dessas oportunidades imperdíveis. Em carta a Julio Gauthier, seu mestre e preceptor, escreveu contando a novidade, dizendo que "no próprio dia de sua chegada a Claremont, vindo da Espanha, o Duque de Nemours, fazendo-o sentar-se, declarou-lhe haver recebido uma proposta de casamento que desejaria ver aceita pelo filho".[22] Em outro trecho da carta, confessa que "como podeis imaginar, dei um salto, e o que mais aumentou meu espanto é que necessito decidir-me dentro de dois meses".[23]

No dia 8 de agosto de 1864, partiram os príncipes para o Brasil para conhecer as princesas, sem compromisso algum, conforme estipulado no contrato firmado anteriormente entre o Imperador D. Pedro II, o Conde de Nemours e Clementina de Orleans.

D. Fernando II de Portugal, que desde o incidente dos jornais *Asmodeu* e *A Marmota* havia permanecido calado, sem jamais ter voltado ao assunto com D. Pedro II, volta a se intrometer. Trata logo de passar algumas informações ao imperador sobre os pretendentes e de puxar a brasa para a sardinha de Gastão de Orleans, o Conde D'Eu, queimando o seu sobrinho Luís Augusto, filho do seu irmão Augusto Luís, casado com Clementina de Orleans.

Diz na carta enviada de Lisboa no dia 13 de agosto de 1864, cinco dias depois da partida dos príncipes: "Enfim lá vão os rapazes. Tu os verás e julgarás o que te convém, devendo eu dizer que o Conde D'Eu é uma verdadeira joia [...] e quanto ao meu sobrinho Augusto, ele é muito criança e não sabes que dificuldades temos tido que vencer por causa das indecisões do pai."[24] Seria inveja, porque o negócio que ele tanto almejava, que era casar a Princesa Isabel com seu filho Luís, tinha sido inviabilizado?

Contudo, em outra carta, enviada no dia do embarque dos pretendentes, o Príncipe de Joinville alerta D. Pedro II para que abrisse os olhos, pois o Príncipe Augusto não estava muito inclinado a se casar. E colocando lenha na fogueira, diz que Augusto havia aceitado o convite apenas para conhecer o Brasil e só tinha embarcado para a viagem graças aos seguintes conselhos seus: "Mas vá até lá ver as princesas e as coisas do Brasil. Vá sem prevenções e sem ideia preconcebida, nem a favor nem contra, sem preferências antecipadas por uma princesa ou por outra. Farás, em todo caso, uma bela viagem. Se o país e as princesas te convierem, e se também a elas convierem, não terão por que se arrepender de haverem deixado escapar uma tão bela oportunidade."[25]

Percebe-se que ambos, tanto D. Fernando de Portugal como o Príncipe de Joinville, estavam mancomunados para desprestigiar Augusto e viabilizar Gastão perante D. Pedro II, e influenciar assim a sua decisão. No final da carta do príncipe, aparece marotamente a seguinte frase: "Faça bom uso dessas informações", como quem diz: depois não vá dizer que eu não avisei.

Os príncipes desembarcaram no Rio de Janeiro em 2 de setembro de 1864, e já havia por parte do Imperador D. Pedro II uma clara inclinação em inverter os papéis anterior e informalmente definidos, e escolher Gastão para se casar com a Princesa Isabel.

Numa carta, muitos anos depois, o Conde D'Eu confessou que ficou sabendo que o imperador havia comentado com o General e Conde Christian Dumas, que acompanhava os príncipes ao Brasil, momentos depois da chegada deles, "que era a mim que desejava desposasse sua herdeira [...] isso muito me comoveu, mas não creio dever recusar-me a essa posição importante que Deus coloca no meu caminho".[26]

D. Pedro II agiu rápido e de forma seca e protocolar, não permitindo de forma alguma que as decisões em torno da escolha dos príncipes fossem tomadas por suas filhas, valendo-se apenas de critérios puramente sentimentais. No dia 17 de setembro, 15 dias depois da chegada dos príncipes, D. Pedro II escreveu ao presidente do Conselho de Ministros, Zacarias de Góis, a seguinte mensagem: "O Conde D'Eu já assentiu comigo em casar com a minha filha Isabel logo que eu deseje, depois de assinado o contrato."[27]

Augusto havia seguido os conselhos dados pelo tio Joinville e se havia comprometido com a Princesa Leopoldina, o que permitiria que voltasse a morar na Europa.

Anos mais tarde, a Infanta Eulália de Bourbon revelou em suas memórias que, se por um lado D. Pedro II havia articulado descaradamente a inversão dos papéis e o casamento da Princesa Isabel com Gastão, por outro lado já havia também partido do próprio Augusto a decisão de não questionar a decisão do imperador. O que de certa forma facilitou muito a vida de ambos.

Conta Eulália que "numa tarde, quando passeavam a sós Augusto e o Conde D'Eu, admirando as belezas da paisagem, Augusto propôs ao primo trocarem de noivas. 'Sabes', disse-lhe sorrindo e como quem propusesse a troca de um livro, de um cão de caça ou de um cavalo, 'a mim não interessa isso de ser imperador consorte do Brasil. Se te casas com Isabel, terás aqui um belo futuro, e eu, uma vida tranquila na Europa com a irmã dela'".[28]

Casaram-se a Princesa Isabel e Gastão de Orleans, o Conde D'Eu, em 15 de outubro de 1864.

Na cerimônia, "um regimento de cavalaria fechava a faustosa procissão, que foi objeto natural da maior curiosidade da população carioca, amiga de espetáculos, tão raramente oferecidos como os dessa ordem. O povo afluiu compacto por onde devia passar o cortejo. As janelas apinhavam-se de gente, os comentários choviam na multidão, habituada, com o fácil pasmo, ao gosto dos préstitos bulhentos do carnaval, dos reisados e das congadas".[29]

No dia 15 de dezembro, se casaram a Princesa Leopoldina e Augusto de Orleans, Duque de Saxe.

Nem Maquiavel, quando escreveu *O Príncipe*, imaginou um imperador que sabia agir de forma tão pragmática, como o nosso D. Pedro II fez, ao longo de todos aqueles anos, no propósito de conduzir as coisas de forma que convergissem para o que ele tinha imaginado para o futuro do Brasil.

3

A AMBIÇÃO DO CONDE D'EU

A vida que o Conde D'Eu havia levado na Europa até então não deixava dúvidas de que ele viera ao Brasil para herdar o trono. O convívio com príncipes, reis e rainhas fazia com que o seu destino de imperador fosse quase um caminho natural. Dada a situação de exilados, segundo relata D. Amélia em carta a D. Pedro II, "de todos os príncipes da Casa de Orleans é o Duque de Nemours que se encontra em piores condições de fortuna, pois foi o que mais perdeu depois da revolução de 1848 [...] se o mais velho dos seus filhos [O Conde D'Eu] se decidisse a renunciar à França, é pela razão de que já está, por assim dizer, habituado à ideia de ter uma posição em país estrangeiro".[30]

Ou seja, com o trono da França como uma possibilidade cada vez mais improvável e remota, era melhor abraçar a oportunidade que surgia, pois não era todo dia que aparecia uma princesa herdeira presuntiva de um trono à solta em busca de marido. Entre ser rei da França e do Brasil havia um abismo enorme no nível de importância, mas na situação em que se encontravam os príncipes da Casa de Orleans... mais valia um pássaro na mão do que dois voando.

Não foi à toa também que já no Rio de Janeiro, enquanto ainda se decidia o casamento da Princesa Isabel, mas diante de um auspicioso futuro, Gastão deu mostras de seu interesse em permanecer no Brasil. Solicitou baixa do serviço militar na Espanha e despojou-se, de forma quase desdenhosa, de um título que tanto havia lutado para receber e que aparentemente, até então, por demais prezava: o de capitão de cavalaria e tenente de artilharia do Exército espanhol.

Todo esse despojamento talvez já sabendo que no Brasil, todavia, receberia a patente de marechal, simplesmente o maior cargo nos quadros hierárquicos do Exército do Brasil. Um presente dado a ele pelo sogro, D. Pedro II. Com tantos mimos que o destino havia ofertado a ele de uma só vez, o Conde D'Eu tratou logo de ir se inteirando dos arcabouços da política nacional. O príncipe queria saber de tudo e cada vez mais se inteirava "estudando e apreciando os recursos do país, observando-lhe as belezas, fazendo quiçá os primeiros reparos aos seus males, aos erros de instituição e de educação política e social, às falhas de organização e de método, aos preconceitos da formação étnica e ambiência correlativa aos seus embaraços e à sua instabilidade".[31]

Passou a ler tudo sobre o país, a ponto de pedir ao imperador que lhe indicasse "alguma obra sobre a história do Brasil". Passou até a colocar as manguinhas de fora ao não concordar com um artigo depreciativo ao Brasil escrito pelo correspondente do jornal *L'Independence Belge*. Ao Conde D'Eu pareceu que esse tipo de acontecimento se dá pela "má escolha desses funcionários de relação internacional na América do Sul" e "a espécie de isolamento a que se entregava o Brasil em relação às Cortes europeias".[32]

Mas com o Conde D'Eu ainda mal falando o português, o imperador tratou logo de providenciar o prolongamento da lua de mel com uma viagem à Europa. Para a Princesa Isabel, que iria pela primeira vez ao Velho Continente, o imperador fez uma recomendação expressa para que atentasse, sobretudo, ao progresso da industrialização e da agricultura naquele continente.

No planejamento do imperador, era nas viagens para a Europa, em visita à família do marido, que a Princesa Isabel iria entrar em contato com a civilização europeia e alargar a sua visão de mundo e política. Dessas viagens e da convivência com o marido europeu é que a princesa iria, fatalmente, desenvolver um senso de progresso e desenvolvimento para o Brasil inteiramente diverso daqueles vigentes.

Como se pode notar, até aqui a Princesa Isabel mal havia sido consultada sobre os arranjos do seu casamento. Para D. Pedro II, tratava-se de assunto de Estado e cabia a ele encontrar alguém ao mesmo tempo inteligente, liberal e ambicioso, para que se encaixasse perfeitamente nos seus planos futuros.

Para o Conde D'Eu, tudo estava divino e maravilhoso, pelo menos por enquanto. Primeiro, porque havia saído de uma situação incerta na Europa para se tornar um príncipe consorte; segundo, porque havia se despojado da condição de capitão do Exército espanhol, um oficial considerado subalterno, para a condição de oficial general no posto de marechal do Exército brasileiro; terceiro, de quebra, havia arrumado uma esposa. Aparentemente os dois, a Princesa Isabel e o Conde D'Eu, se deram bem desde o primeiro momento, embora ele tenha prevenido a irmã Margarida de Orleans, em carta, de que "não tem ela nada de bonito no seu rosto [...] o conjunto de seu porte e de sua pessoa é gracioso".[33] Diante de todas essas conquistas de uma só vez, o que mais o príncipe poderia querer?

Já a jovem Princesa Isabel se resignou a tudo e cumpriu à risca o protocolo que havia sido determinado pelo imperador. Com o casamento da princesa com o Conde D'Eu, uma das questões que mais atormentavam a vida de D. Pedro II depois da morte dos dois filhos homens, Afonso Pedro e Pedro Afonso, estava praticamente, oxalá totalmente, encaminhada. Com o tempo, o conde se adaptaria à sociedade brasileira, à vida política e, como era comum na época, dada a situação subalterna das mulheres, se tornaria naturalmente o herdeiro do trono com o apoio de todos.

É interessante notar que mesmo depois da morte dos filhos homens, que havia alçado a Princesa Isabel à condição de herdeira do trono imperial, o imperador nada fez para que Isabel se interessasse por questões políticas. Sinal de que o imperador sempre teve a convicção de que a sucessão do trono não passava pela formação da filha para esse fim, mas pelo caminho mais tradicional possível, o casamento.

Sobre a condição das mulheres na política, o imperador pensava que "a natureza não as havia projetado para semelhante função [...] e na fria realidade ele simplesmente era incapaz de aceitá-la ou percebê-la como sucessora ou de encará-la como uma governante viável".[34]

Pode-se dizer que até aquele momento a Princesa Isabel não havia conseguido se livrar da discriminação de gênero que era típica do período. Na época, o único destino reservado para uma mulher era o casamento, em que o seu papel seria o de "prestar apoio, conforto e lealdade ao marido e em gerar e criar seus filhos".[35]

Não fosse a trágica armadilha do destino, a morte dos dois irmãos, a Princesa Isabel passaria, como a sua irmã mais nova, Leopoldina, para a história como uma ilustre desconhecida. Só e somente então, até mesmo por força de lei, que a menina Isabel, de apenas 4 anos de idade, passou a ser, por direito, a herdeira do trono do Brasil. Muito a contragosto do pai, que acreditava que o Terceiro Reinado só se viabilizaria com a figura de um homem. Mas, no fim das contas, como veremos, a Princesa Isabel acabou fazendo pelo imperador o que as mulheres fazem até hoje na imensa maioria dos lares no Brasil: segurar as pontas nas horas difíceis.

Somente com o passar do tempo é que D. Pedro II percebeu que a filha era pau para toda obra. Como herdeira do trono, a princesa assumiria como regente em três ocasiões, quando o imperador se ausentou do país. A Primeira Regência foi de 25 de maio de 1871 a 31 de março de 1872; a Segunda Regência, de 26 de março de 1876 a 25 de setembro de 1877, e a Terceira Regência, de 30 de junho de 1887 a 22 de agosto de 1888. Assinou, nesses três períodos, vários papéis importantes, tomou diversas providências e desempenhou até com certa desenvoltura o protocolo cotidiano da Monarquia.

Uma dessas leis, já na Primeira Regência, assinada em 28 de setembro de 1871, foi a Lei do Ventre Livre, que tornou livres todos os filhos de escravas nascidos além daquela data. Foi a partir dessa lei que a princesa iniciou a sua fama de Redentora dos escravos.

Não será mera coincidência que todas as medidas que envolviam a questão da libertação de escravos, da imigração etc., que eram consideradas decisões difíceis, tenham sido tomadas por ela, nas suas Regências, enquanto o imperador se encontrava fora do país. Havia nisso toda uma conspiração para que a Monarquia conseguisse navegar em mares turbulentos, mesmo que ainda com um pé numa canoa, que ia em direção ao Sul, e outro noutra, que ia em direção ao Norte.

Ao ausentar-se das decisões polêmicas, o imperador colocava-se do lado da permanência, da manutenção de um estado de coisas que, em verdade, diante das mudanças do mundo, ele não sabia ao certo até quando ia se sustentar.

Ao posicionar a Princesa Isabel na linha de frente das decisões polêmicas, o imperador se colocava na posição inversa, ou seja, ao lado das mudanças do mundo que ele sabia serem inexoráveis e que cabia à Monarquia adaptar-se se quisesse salvar a sua cabeça e permanecer no poder por meio de um Terceiro Reinado.

Todas essas transições nos rumos da política da Monarquia para o Brasil ainda estavam apenas esboçadas no horizonte. Por enquanto eram quase impensáveis num país extremamente conservador e patriarcal. No entanto, elas não deixavam de estar sendo esboçadas, vão ser minuciosamente preparadas ao longo dos anos, e uma questão crucial surgirá novamente para que tudo aconteça: a abolição da escravidão.

É em torno dessa questão que a Monarquia brasileira vai-se articular com o objetivo de transformar a Princesa Isabel, de uma mulher despreparada e dócil, numa política combativa e plenamente capaz de levar adiante o projeto do imperador para o Terceiro Reinado.

E seria imediatamente após o casamento, ainda na lua de mel em Petrópolis, que o Conde D'Eu passaria a iniciar a Princesa Isabel nos clássicos da política e despertar nela o interesse pela sucessão e pelo trono do Brasil. Todo o trabalho que teriam ambos, o conde e o imperador, a partir dali, seria o de procurar conciliar em Isabel o papel para o qual as mulheres eram preparadas desde a infância — filha, esposa, mãe — e o papel que o destino havia reservado para ela, que era o de ser a herdeira do trono do Brasil.

Teria sido do conde, por exemplo, a ideia que a princesa expressa em carta ao imperador, em que pedia, como espécie de presente de casamento, que fosse concedida carta de liberdade aos seguintes escravos que trabalhavam para ela: "Marta [negrinha do quarto], Ana Sousa [mãe], Francisco Cordeiro [preto do quarto], Maria D'Áustria [mulher], Minervina [lavadeira], Florinda e Maria D'Aleluia [engomadeiras], José Luís [preto que tocou todo o tempo de nossa dança e que toca ainda nos dias de divertimento] e Antonio Santana [preto que serviu algum tempo]."[36]

Mas não nos antecipemos, porque esse é um projeto que só se desenvolveria no longo prazo. Por enquanto a Princesa Isabel era ainda uma jovem esposa deslumbrada e idealista. Vivendo no melhor dos mundos possíveis, logo a implacável realidade de concreto armado lhe bateria na porta.

A PRIMEIRA VIAGEM DA PRINCESA ISABEL À EUROPA

primeira viagem ocorreu no dia 8 de janeiro de 1865. Ficaram sobretudo em Claremont, na Inglaterra, onde a família Orleans estava exilada desde o banimento da França em 1848. Nessa primeira viagem, no entanto, a princesa já teve que lidar com uma questão diplomática. A Rainha Vitória concordou em receber a Princesa Isabel, mas não como representante do Império brasileiro.

As relações entre o Brasil e a Inglaterra estavam rompidas (a Questão Christie), de modo que todo o cerimonial que envolveria a recepção de uma princesa foi dispensado. Na Inglaterra, a Princesa Isabel era, por esse motivo, meramente a Condessa D'Eu.

Mas, ao contrário do que temiam as irmãs de D. Pedro II, preocupadas com um tratamento reticente que a Princesa Isabel poderia receber, tudo se passou naturalmente com a recepção, inclusive com a Rainha Vitória, que, tudo indica, era a principal interessada na resolução da crise diplomática.

O Conde D'Eu é que passou a ser recepcionado pela família como o futuro herdeiro do trono brasileiro. Para os olhos de seus familiares, prevalecia a lógica, ou seja, tendo ele se casado com a herdeira do trono do Brasil, onde, como em toda a Europa, salvo na Inglaterra vitoriana, o poder era coisa de homens, a Princesa Isabel teria passado a ele a responsabilidade da herança do trono. Só com o tempo a rejeição ao seu nome, construída pelas alas mais conservadoras da classe dirigente brasileira e das elites econômicas, o foi relegando a mero marido da princesa.

Mas um dos aspectos mais interessantes dessa primeira viagem da Princesa Isabel à Europa foi a recomendação que o Imperador D. Pedro II lhe dera para que aproveitasse plenamente a estada na Inglaterra. Entre os principais conselhos estava a conveniência de visitar fábricas, na época raras no Brasil, e manter "o espírito aberto às conquistas do seu século". É assim, seguindo as recomendações do imperador, que a Princesa Isabel visita fábricas de aço, de fiação, de armas, de carruagens, anotando minuciosamente tudo que poderia ser útil ao Brasil. Essas viagens constituíam um verdadeiro aprendizado prático de tudo aquilo que deveria ocorrer no Terceiro Reinado, o seu reinado.

Na Alemanha, ela visitou a cidade de Dusseldorf, onde fez questão de desfrutar de uma visita guiada pelo próprio Alfred Krupp às indústrias Krupp. Maior produtor de aço do mundo, futuramente alguns dos produtos aceiros que viriam a influenciar a história da humanidade — para o bem e para o mal — foram construídos nas suas fábricas, desde metralhadoras até navios e submarinos de guerra.

De Praga, capital do reino da Boêmia na época do Império Austríaco, a Princesa Isabel envia cartas para o Imperador D. Pedro II, em que demonstra um pragmatismo em relação aos objetivos das visitas, poucas vezes visto até mesmo em diplomatas brasileiros da época.

Pelo desdém com que trata os encontros sociais e pelo ávido interesse que demonstra por tudo que havia de novo na Europa em termos de indústria, é possível permear um pouco a personalidade da princesa desde o primeiro momento. Sinal de que havia interiorizado com muita facilidade e com extrema competência os desígnios que a ela haviam sido imputados pelo imperador, no afã de dar andamento ao seu projeto.

Numa carta enviada de Viena, por exemplo, escrita em 2 de maio de 1865, a princesa reclama ao imperador da maçada que era suportar as enfadonhas recepções de vários arquiduques, príncipes, duques, imperadores, imperatrizes, condes etc.; diz "já estou farta de tantos príncipes que não me interessam".[37]

Ainda em carta de Viena, de 20 de maio de 1865, a princesa volta a reclamar dos compromissos sociais: "Com a imensidade de arquiduques e arquiduquesas que é preciso aturar de manhã à noite, são jantares sobre jantares, visitas sobre visitas."[38] Na mesma carta a princesa manifesta os seus reais interesses, que eram, entre outros, "visitar fábricas e a famosa Tipografia Nacional de Viena".

Não havia recomendações mais contraditórias da parte do Imperador D. Pedro II, se pensarmos que a mesma pessoa que as dava, por um lado, insinuava um viés liberal e progressista, e, por outro lado, mantinha um sistema econômico antiquado, com base na monocultura, na lavoura e no trabalho escravo.

Eis claramente uma prova da conspiração que o imperador armou em torno da Princesa Isabel e do Conde D'Eu, futuros governantes do país. Conspiração que visava a uma mudança radical de direcionamento da economia brasileira na passagem do Segundo para o Terceiro Reinado.

Em terras brasileiras, a Monarquia se mostrava conservadora, carola; no exterior, a faceta era liberal e progressista. A preparação em segredo da herdeira do trono dentro de um paradigma político e econômico europeu, moderno, sobretudo novo, mostra o quanto era sofisticada a visão do imperador — e do seu grupo de colaboradores — acerca dos desafios de sua época. Revela também o quanto esse mesmo imperador estava de tal modo refém das arcaicas raízes coloniais, que a única forma que visionava para a mudança era por meio da herdeira do trono, ou seja, de forma lenta e gradual.

Não é à toa que nas Regências da Princesa Isabel vão acontecer os atos mais importantes. Atos que vão aos poucos ferindo de morte o velho sistema colonial, como, por exemplo, o fim da escravidão, que viria em 1888. O problema, como veremos, é que os setores mais atrasados da sociedade — fazendeiros escravocratas —, unidos às alas descontentes dos militares, com o tempo perceberam bem qual era o plano do imperador e qual seria o mecanismo da transição.

Decifraram o enigma e, em 1889, darão o xeque-mate.

5

A GUERRA DO PARAGUAI

O começo da Guerra do Paraguai, em dezembro de 1864 — o maior conflito internacional registrado até os dias de hoje na América do Sul —, deu um rumo inesperado às relações entre o imperador, a Princesa Isabel, o Conde D'Eu e as respectivas famílias. Desde o início do conflito, ainda de viagem à Europa, o Conde D'Eu não escondeu de ninguém o seu desejo de tomar parte na guerra; ao contrário, sempre fazia questão de expressar isso ao imperador. Era natural que o destino do Conde D'Eu, assim que retornasse ao Brasil, fosse o front, pois o próprio imperador havia feito dele marechal do Exército brasileiro.

Mas do lado do imperador a coisa não era tão simples assim e algumas questões o atormentavam. Vamos a elas: "Como poderia indicar o Conde D'Eu, marechal do Exército e marido da Princesa Isabel, senão para o cargo de comandante em chefe?."[39] A segunda questão era, se o nomeasse comandante em chefe, "como fazê-lo sem preterir os generais de carreira?".[40] A terceira questão tinha a ver com a nacionalidade do conde: sendo francês, "como nomeá-lo sem ferir o amor-próprio dos militares brasileiros?".[41]

O Conde D'Eu havia sido educado na França, como era tradição na família Orleans, segundo preceitos militares. A sua ida para a guerra era uma necessidade em dois sentidos, um deles pela vocação natural do conde para funções militares, e outro porque agora ele era o príncipe consorte do Brasil e tinha o dever de lutar pelo seu país.

Nesse sentido, o Príncipe de Joinville, ao saber do início da guerra, lamenta profundamente o fato de o conde estar em viagem à Europa naquele momento e não poder tomar parte no conflito e cumprir, assim, a sua vocação e a sua obrigação.

Na carta de Richmond ao imperador, escrita em 8 de junho de 1866, portanto mais de um ano após o início da guerra e já sabendo da situação política imperial que impedia D. Pedro II de nomear o conde para comandante em chefe, Joinville escreve o seguinte: "Que lástima não estar o conde se distinguindo no campo de luta, em vez de estar aqui passeando. Isso faz grande pesar a Gaston, que me confessou suas mágoas sobre o posto no Exército brasileiro que lhe conferiram à sua revelia. Como teria ele preferido um posto inferior, que lhe permitisse servir ativamente. Como seria feliz se qualquer nova ocasião de guerra lhe permitisse se apresentar como voluntário. Mas acrescentou que não era favorável a nada disso."[42]

Na medida em que a guerra avançava, a pressão dos parentes da Europa sobre D. Pedro II, para que o conde tomasse partido no front, também se intensificava. Uma das desculpas de D. Pedro II era de que temia pela vida do conde, que ainda não tinha filhos e deixaria um vazio na sucessão da Coroa, caso acontecesse tal infortúnio.

Irritado, o Príncipe de Joinville dizia que o imperador não tinha razão, "pois certamente quiseste para marido de vossa filha um homem de valor, e não um simples fazedor de filhos [...] a vida de camarista não lhe é suficiente. É necessário utilizar-lhe as qualidades, mandá-lo lutar onde há luta".[43]

Em outro trecho e ao final da carta o Príncipe de Joinville arremata dizendo que "com nossas ideias europeias não podemos ver nele um almirante brasileiro, enquanto luta no Prata a frota brasileira. Sabeis que bem não posso compreender essa situação do príncipe ocioso, que por mim não teria suportado e que cria para vossos genros uma falsa posição [...] que diferença entre esses príncipes, que partilham do perigo com os soldados e esses ociosos que só sabem ostentar falsas dragonas e desfilar nas Cortes. Quando leio e ouço tais coisas e quando penso no que fazeis com o meu pobre Gaston, enrubesço de vergonha".[44]

Já a irmã de D. Pedro II, D. Francisca, tinha uma visão mais pragmática da questão. Alguns meses depois do marido, ela mesma envia uma carta para o imperador argumentando que "deixando teus genros com as suas tropas, fazendo a guerra com seus patriotas de adoção e se identificarem com o país, seus interesses, e serem vistos no meio das tropas, tomando parte em todos os perigos [...] para ti mesmo isso seria bom e bem útil à tua futura dinastia".[45]

Em outro trecho, afirma: "Fico bem aflita de ver que a guerra continua e de não ver partir Gaston com nossas tropas. Se eu fosse Gaston — aqui para nós —, daria a minha demissão do meu posto, inteiramente de nenhuma utilidade, sobretudo agora, durante a guerra."[46]

O Conde D'Eu, de regresso ao Brasil e seguro com o incentivo e o apoio de todos, e julgando estar o imperador pressionado pelos seus próprios parentes para tomar uma decisão a seu favor, resolve agir.

Redige um ofício, em que argumenta a favor da ida ao front, com base em tudo aquilo que D. Pedro II já estava cansado de ouvir dos parentes que moravam na Europa e não conheciam as artimanhas da política brasileira. Da boca do imperador o conde ouviu de imediato que o então Marquês de Caxias seria o comandante das forças em operação. O conde sabia bem quem era Caxias e a sua importância para o imperador e para a Monarquia, de modo que, se o comandante em chefe era Caxias, não lhe restaria mesmo muitas chances.

Só mais tarde, com mais calma, o imperador resolve explicar as suas motivações por escrito para um Conde D'Eu deprimido e isolado. Diz o imperador: "Caro filho. Meu filho é moço e não sabe até onde podem chegar as desconfianças. Minha opinião não basta, pois, sobretudo no sistema que nos rege, e, se a maioria dos conselheiros da Coroa entender que sua ida para o Exército é de vantagem à causa pública, eu, tranquilo em minha consciência, ficarei fazendo votos a Deus pela felicidade do meu filho e esperando, vitorioso, para abraçá-lo."[47] O simples fato de o imperador tratar o conde como "meu filho" demonstra a imensa projeção, revelada nesse ato falho, que ele depositava no papel do Conde D'Eu para o futuro da Monarquia.

D. Francisca surtou ao saber dessa nova negativa do imperador e enviou-lhe uma carta malcriada, em 6 de dezembro de 1866. Revelava, enfurecida, que não podia "deixar de ficar bem triste vendo que Gaston não vai com ele [Caxias], o que me parece mais natural que ficar em casa quieto, quando todos os brasileiros moços e velhos vão bater-se pela defesa do país [...] parece ser inveja tua, de não quereres tu não podendo e não devendo ir para a guerra, que não deixes teu genro cobrir-se de glória [...] deixa ir o moço".[48]

Diante do acirramento da questão e das ameaças do Conde D'Eu de abandonar seu posto no Exército, o próprio D. Pedro II resolve novamente, dessa vez de forma mais enérgica, conter os ânimos do conde, cuja insistência contradizia os desígnios do imperador e envenenava a todos. A gota d'água foi quando o conde enviou um requerimento ao ministro da Guerra, pedindo autorização para ir ao front. O imperador agiu rapidamente e o pedido foi indeferido pelo Conselho de Estado, fiel ao imperador, por 12 votos a 11.

Depois dessa desobediência do conde, o imperador endereçou-lhe uma carta, dessa vez num tom um pouco mais ríspido que o habitual: "O que não fica mal a ninguém, e sobretudo a um moço, que pela sua posição presente, e ainda mais futura, deve empenhar-se em mostrar que não está disposto a colocar seu alvitre acima dos conselhos de quem tem direito de dá-los."[49]

D. Francisca continuava enlouquecida na Europa, advogando em interesse do conde: "O Conselho de Estado é uma quantidade de velhos medrosos e que temem tudo. Parece-me também que eles não têm que se meter nisso [...] que o moço pode ir sem licença dessa sociedade de caducos."[50]

Como se pode ver, de um lado um conde cheio de moral, e de outro um imperador cheio de planos secretos.

6

A INVERSÃO PARTIDÁRIA

Por trás da recusa do imperador em conceder a ida do Conde D'Eu ao front, havia, no entanto, algo muito mais sério e que envolvia questões políticas urgentíssimas.

Inúmeros historiadores são unânimes em dizer que a Guerra do Paraguai foi um divisor de águas na história do Segundo Reinado no Brasil. Muitas questões haviam sido colocadas naquele momento. Algumas interpretações indicam que o Império começa a ruir nesse momento, sobretudo depois de um rompante de autoritarismo do imperador que levou à inversão partidária de 1868.

Em 1866, quando a guerra já estava na metade do caminho, meio cambaleante e se estendendo mais do que o previsto, Caxias foi mandado para o front pelo imperador como comandante do Exército brasileiro. Contudo, Caxias era do Partido Conservador e o comando do Ministério estava naquele momento nas mãos dos liberais. Para avançar na guerra, Caxias faz uma série de exigências, entre elas a necessidade de se aumentar o contingente de soldados, de se adquirir armamentos etc. Essa série de demandas implicava um aumento considerável dos custos da guerra e a necessidade de liberação de verba para financiar tais gastos.

Embora tanto liberais como conservadores concordassem com a guerra e estivessem cientes dos seus custos, o problema maior era mais político do que econômico, ou seja, era o fato de Caxias pertencer ao Partido Conservador. Essa oposição entre os partidos fazia com que surgisse no âmbito do Partido Liberal uma série de críticas a respeito de tudo aquilo que era solicitado pelo comandante do Exército. Fazia parte do jogo político, mas o imperador conhecia bem Caxias e sabia que a sua paciência com essas picuinhas não ia durar muito tempo e, sem Caxias no front, os planos do imperador poderiam ir por água abaixo.

E o imperador tinha razão, pois as críticas, os impasses e a morosidade na liberação dos recursos fizeram com que Caxias apresentasse a sua carta de demissão do cargo. Caxias sabia que o ato impensado poderia prejudicar D. Pedro II, mas, por outro lado, era difícil para ele conter o seu orgulho ferido. O ano era o de 1868 e o ato de Caxias criou para o imperador o seguinte impasse: ou ele mantinha Caxias no comando do Exército, e a sua permanência era vital para a sequência dos planos do imperador, ou o ministério dos liberais no poder.

A manobra da qual o imperador lançou mão foi a da inversão partidária, que para muitos historiadores foi o início do declínio da Monarquia. O próprio imperador sabia bem os riscos imensos assumidos em consequência dessa manobra política brusca.

A demissão do gabinete de Zacarias de Góis, depois de seis anos de predomínio dos liberais, a sua substituição pelo conservador Joaquim José Rodrigues Torres — o Visconde de Itaboraí —, que assumia estar sendo convocado para uma "tarefa difícil", e a dissolução da Câmara dos Deputados, esses três acontecimentos haviam criado um clima de guerra na capital do Império. O imperador sabia que, seguindo os preceitos de Maquiavel, "deve-se, em especial, impedir-se de aproveitar dos bens alheios, uma vez que os homens se esquecem mais rapidamente da morte do pai do que da perda de patrimônio".[51]

Os liberais falavam em "estelionato político", sobretudo por meio dos jornais da imprensa liberal. O jornal *Anglo-Brazilian Times* publicou uma série de artigos tratando do tema e puxando a brasa para a sardinha dos liberais. Um desses artigos foi publicado pelo diplomata norte-americano James Watson Webb. Não foi por acaso que os norte-americanos saíram em defesa dos liberais. Em meio aos conflitos da Guerra do Paraguai, os Estados Unidos pediram permissão ao Brasil para enviar um navio, a canhoneira *Wasp*, para Assunção, a fim de resgatar o diplomata norte-americano Charles Grenfill Wasburn.

Empenhado em evitar uma ruptura com Washington, Zacarias de Góis havia feito o máximo para que o navio pudesse chegar até Assunção e o resgate ocorresse sem maiores dificuldades, contando para isso com o apoio irrestrito do Exército brasileiro. O que ele não esperava era que Caxias relutasse imensamente em permitir que o navio norte-americano atravessasse as linhas aliadas e foi, como era natural, vítima de uma série de críticas e de alguns atos de quebra de hierarquia. Tudo com a condescendência do gabinete liberal de Zacarias de Góis.

Essa foi apenas mais uma das escaramuças despertadas pela queda de braço entre liberais e conservadores naqueles anos. Quando a questão chegou no seu limite e a personalidade difícil de Caxias impôs a D. Pedro II a condição "ou eu ou eles", o imperador não vacilou nem em um minuto e utilizou-se da prerrogativa constitucional dada ao Poder Moderador — ao imperador — de intervir nas decisões dos gabinetes, e decidiu-se por manter Caxias no comando, apoiando irrestritamente o seu comandante.

O imperador corria o risco de incendiar a oposição à Monarquia no país, mas sabia também que Caxias certamente daria um jeito de apagar o fogo, assim como tinha feito com extrema competência desde o ano de 1831, quando suas ações haviam praticamente pulverizado qualquer oposição e resistência à Monarquia.

O fogo não demorou a se alastrar. A atitude do imperador despertou a ira do gabinete liberal deposto e da diplomacia norte-americana do Rio de Janeiro, que depois da queda do gabinete de 1868 passou a publicar diversos artigos na imprensa estrangeira criticando o imperador. Um desses artigos, também do *Anglo-Brazilian Times*, dava como inevitável e próxima a queda "da única Monarquia do hemisfério [...] um terceiro ocupante jamais se sentaria no trono de D. Pedro II [...] animo-me a uma profecia: não darei 10 anos para que o Brasil se torne República e não me surpreenderia se a reviravolta acontecesse nos próximos 10 meses".[52]

O imperador sabia dessas consequências todas, que os cães ladrariam como sempre, bem como tinha também a convicção de que a caravana precisava avançar, por bem ou por mal, veloz como nunca.

A CONSPIRAÇÃO DOS LIBERAIS

súbita ruptura da ordem política fez com que algo impensável ocorresse: as duas frentes liberais, progressista de um lado e conservadora de outro, que até então se odiavam, se coligaram na busca de uma unidade de ação para combater os desmandos do imperador.

Em meio ao calor da hora, o que se propunha eram duas saídas mais imagináveis do que possíveis. Na primeira delas, o imperador deveria levar a cabo uma reforma política nos moldes que propunham os liberais, ou seja, que implicava a redução das prerrogativas do Poder Moderador (aquele exercido pelo imperador) e um processo de descentralização do poder. A segunda era mais radical ainda, a revolução, a queda da Monarquia, a proclamação da República. Em 12 de maio de 1869, os liberais fundaram um jornal chamado *A Reforma*, exclusivamente para defender os seus pontos de vista.

Já os liberais mais exaltados, que se reuniam em torno do jornal *Opinião Liberal*, pregavam ideias mais revolucionárias. Para estes havia a necessidade de transformações profundas e imediatas na política nacional, e quanto à Monarquia, só deveria perdurar "enquanto e se útil às mudanças políticas e sociais".[53]

Exigiam, além da descentralização do poder, o "ensino livre, política eletiva, Senado temporário e eletivo [era vitalício], sufrágio direto e universal, presidentes de províncias eletivos, extinção do Poder Moderador e do Conselho de Estado".[54]

Outro jornal combativo à Monarquia, que surgiu também no calor da hora, em 1869, foi o *Correio Nacional*, em cuja primeira edição se podia ler o seguinte manifesto: "O *Correio Nacional* quer que o governo seja só governo, que distribua justiça, mantendo a ordem, puna o crime, arrecade impostos, represente o povo, mas não transpondo a meta natural, não se substitua à sociedade."[55]

As manifestações não ficaram restritas ao Rio de Janeiro, onde, como se pode ver, o clima antimonárquico ficou muito próximo daquele de 1831.

Em São Paulo, José Bonifácio, o Moço, deputado provincial deposto com o fechamento da Câmara em 1868, também protestou contra a inversão partidária e a queda dos liberais no jornal *Radical Paulistano.* Na Faculdade de Direito de São Paulo, os estudantes, liderados por ele, reuniram-se num debate acalorado em que Castro Alves recitou, pela primeira vez, o poema "Navio Negreiro".

As principais discussões giraram em torno da conhecida máxima de que o rei reina, mas não governa. Entre esses jovens estavam nomes como os de Joaquim Nabuco, Rui Barbosa, Salvador de Mendonça, Fernando Osório, entre outros.[56]

Uma história interessante nesse meio todo é a de que por trás da insistência do Conde D'Eu em ir para a Guerra do Paraguai a qualquer custo, ainda antes da inversão partidária, poderiam estar alguns liberais que o incentivavam no sentido de que deveria ser ele, e não Caxias, o comandante em chefe do Exército.

Os liberais, cientes do desejo do conde de tomar parte nos combates — como vimos, o conde chegou a enviar petições ao Conselho de Estado solicitando autorização para sua ida ao front —, pensaram na possibilidade de articular a ida do conde ao front justamente para, primeiro, acirrar a sua indisposição com o imperador; segundo, atormentar o quanto possível a vida de Caxias, e terceiro, depreciar a própria imagem do conde.

Em carta de José Lins Vieira, Barão e Visconde de Sinimbu, a Francisco Inácio de Carvalho Moreira, Barão de Penedo, aquele argumenta que a substituição do conservador Caxias, já bastante incompatibilizado com o ministério liberal, era questão de tempo. Nesse caso, quem o substituiria? Para Sinimbu, "qualquer novo gabinete saído do seio liberal chamaria aquele general, fazendo-o substituir pelo Conde D'Eu".[57]

O plano claro dos liberais "era atirar o genro do imperador, o marido da Princesa Imperial, futura chefe de Estado, nas malhas traiçoeiras da politicagem. Fazer do Conde D'Eu um general do partido, para jogá-lo contra o general conservador".[58] Embora estivesse há pouco tempo no Brasil e mal falasse português, dois aspectos da personalidade do Conde D'Eu já estavam bem claros, e ele nunca fez esforço algum para escondê-los. Primeiro, a sua inclinação para as ideias liberais, o que o aproximava do Partido Liberal, e, segundo, a sua ambição em ser, futuramente, até imperador do Brasil.

O imperador, que era um homem muito bem-informado, provavelmente soube dessa articulação toda dos liberais e atropelou, como uma locomotiva, essas vozes contrárias antes que elas pudessem produzir qualquer eco.

A manobra de D. Pedro II em promover a inversão partidária no poder teve, portanto, esse duplo sentido. Primeiro, manter Caxias no comando, pois este tinha uma enorme tarefa a cumprir, como veremos, e, segundo, defender o Conde D'Eu das articulações políticas nas quais o jovem ainda não estava devidamente experimentado.

Embora tenham feito o imperador suar a camisa, essas contestações tiveram vida curta. Foram engolidas pelo entusiasmo, pelo progresso, nos moldes europeus, que empolgavam a Corte. A vitória na Guerra do Paraguai também contribuiu para amansar os liberais.

A tentativa dos liberais de envenenar o conde e de atormentar a vida de Caxias havia despertado no imperador os seus mais primitivos instintos. Nunca antes na história do Segundo Reinado o imperador havia sido tão contundente na defesa dos seus planos como nesse episódio.

O PAPEL DE CAXIAS

Se de fato, por algum momento, o Conde D'Eu se havia aproximado dos liberais para articular a queda de Caxias e abrir uma clara oportunidade para que ele se tornasse o comandante em chefe do Exército no Paraguai, a inversão partidária e a manutenção de Caxias como comandante do Exército — bancado pelo imperador a um custo enorme — vão lançar uma pá de cal nas ambições e na petulância de Gastão.

O fato é que, profundamente desiludido e com um sentimento de inércia e falta de perspectiva para o futuro no Exército brasileiro, o conde se isola, cada vez mais, no Palácio das Laranjeiras. A notícia de que o seu irmão se casaria por aqueles meses na Europa faz com que o Conde D'Eu se mobilize a fim de fazer uma nova viagem, que não estava nos seus planos para acontecer tão cedo.

Quando estava decidido de que realmente viajaria, eis que D. Pedro II o surpreende imensamente. Numa noite, num jantar informal em sua residência no Palácio de São Cristóvão, o imperador chama o Conde D'Eu no canto e à boca pequena pede para que não viaje, "que aguardasse, que deixasse a viagem para mais tarde, [...] de resto, a guerra ainda não acabara e poderia precisar dele de um momento para outro".[59]

O Conde D'Eu certamente achou que aquelas palavras tinham mais o intuito de agradá-lo do que de deixá-lo acautelado para qualquer emergência. Fazia parte da personalidade pendular do imperador, que hora batia, ora assoprava. Como já havia batido muito no conde por aqueles meses, a confidência ali nos corredores do palácio, talvez provocada pelo espírito do vinho, fosse mais um assopro nas feridas do genro do que qualquer outra coisa. Ainda diante de um conde completamente descrente e perplexo com o que acabara de ouvir, o imperador acrescentou, de canto de boca, como quem confidencia algo que na verdade já sabia que ia acontecer, "para substituir Caxias, inclusive".[60]

A Princesa Isabel torcia, do seu lado, para que a guerra tivesse um fim breve, para que, obviamente, a insistência do Conde D'Eu em ir ao front jamais fosse considerada pelo imperador e pelo Senado. Depois das palavras enigmáticas do imperador, essa torcida se intensificou significativamente.

E deu certo, pelo menos em parte. Em janeiro de 1869, Caxias escreve ao imperador anunciando a conquista triunfante da cidade de Assunção, capital do Paraguai, numa batalha que ficou conhecida como Dezembrada. A tomada de Assunção foi o limite para Caxias. Com a conquista da capital e a fuga de Francisco Solano Lopez — ditador do Paraguai —, Caxias havia decretado o fim da guerra, pois, do seu ponto de vista, a captura ou morte de Lopez não era necessariamente uma condição.

No dia 27 de fevereiro, Caxias escreve ao imperador expondo seu veredicto: "A guerra está acabada, somente restando a Lopez fugir para fora do Paraguai [...] nem mesmo a pequena guerra de recursos pôde Lopez sustentar."[61]

É estranho imaginar que no melhor momento, na hora do *gran finale*, Caxias se tenha recusado a participar. É óbvio que a guerra não havia acabado. Embora as tropas brasileiras tivessem tomado a cidade de Assunção, Lopez ainda estava vivo, e uma guerra termina não só com a conquista do território, mas com a captura ou morte do protagonista do outro lado do front.

Se Caxias se retirasse nesse momento, seria como se ele saísse do cinema antes de o filme acabar, antes de ver, portanto, a tão esperada cena final. Não há sentido nenhum para alguém que havia acompanhado toda a evolução da trama e dela fora protagonista se retirar assim e colocar outro personagem no lugar para receber os louros da vitória. Outro fato estranho é o de Guilherme Xavier de Sousa, substituto imediato de Caxias no comando do Exército, ter-se, convenientemente, negado a substituí-lo e a assumir o comando, coisa rara no Exército.

Desse modo, pode-se concluir que o primeiro grande compromisso assumido por Caxias com o imperador já havia sido cumprido: vencer a grande guerra. O segundo compromisso, segredo de Estado, foi posto em marcha logo depois. Declarando-se enfermo, Caxias anuncia, unilateralmente, ao imperador, que deixaria o comando do Exército.

Caxias sabia que para o imperador a guerra estaria terminada apenas com a derrota total de Lopez, sua morte ou expulsão do Paraguai. Desse modo, para Caxias a guerra havia terminado, mas do ponto de vista do imperador, não. Admirador de Maquiavel, D. Pedro II havia aprendido que, em matéria de territórios conquistados, "a garantia mais segura da posse é a ruína. Os que se tornam senhores de cidades livres por tradição e não as destroem serão destruídos por elas".[62]

Depois de toda a temerária manobra política que o imperador havia operado com a inversão partidária para manter Caxias no comando, mesmo iniciando uma crise sem precedentes com os liberais e colocando até mesmo o trono em risco, não seria nesse momento que seria abandonado por Caxias.

Todas essas cenas estavam ensaiadas, tudo milimetricamente combinado. Fazia parte da conspiração. Não será à toa que um ato como esse do comandante do Exército, que ao deixar o comando no meio da guerra poderia ser considerado um traidor da pátria, um desertor, vai, ao contrário do que se esperava, até pelo próprio ponto de vista do imperador em relação ao fim da guerra, levar Caxias a ser condecorado com o título de duque, único desse gênero concedido ao longo de todo o período monárquico no Brasil.

No início de março, ocorreu um fato inusitado. Antes ainda que todos soubessem da decisão de Caxias, D. Pedro II envia carta a Petrópolis endereçada ao Conde D'Eu, convocando-o para uma reunião em São Cristóvão. Na carta, o imperador diz: "Caro filho [sempre essa projeção do imperador dos filhos no conde], Caxias pediu demissão do Comando do Exército e reconheceu-se a poucos dias que Guilherme Xavier de Sousa não poderá substituí-lo convenientemente. Em tais circunstâncias, propus você para esse cargo porque confio em seu patriotismo e iniciativa. O Governo, que pensa como eu, a respeito de você — que é preciso livrar, o quanto antes, o Paraguai da presença de Lopez —, julgou que se deve conceder a demissão de Caxias e nomear você [...] urge sua partida e há vapor à primeira ordem. Não duvido, nem por um momento, que você não se preste a serviço tão relevante, e quando pretender descer de Petrópolis, avise-me, mesmo pelo telégrafo, se ele estiver trabalhando, e eu lhe mandarei as galeotas a vapor e de remos, e condução por terra aqui, se quiser [...] quando você me pedir a condução [...] é sinal de que está resolvido a satisfazer os desejos que muito sinto não ter podido nutrir, logo que você quis ir ao teatro da guerra."[63]

O Conde D'Eu aceita imediatamente, eufórico. A Princesa Isabel então envia uma carta, furiosa, ao pai, repreendendo-o: "Pelo amor de Deus, não me mande meu Gaston para o Sul, pois papai sabe que tem uma bronquite crônica. Se é bom para o Caxias não estar lá por causa de sua dor de cabeça, ainda é pior mandar para lá meu Gaston, que pode apanhar alguma doença de peito."[64]

Em outro trecho, revelador, a princesa dá pistas dos argumentos utilizados por D. Pedro II para substituir Caxias pelo conde, e diz: "Meu querido papai, Gaston chegou há três horas com a notícia de que papai estava com um desejo vivíssimo de que ele fosse já para a guerra. Pois será possível que papai, que ama tanto a Constituição, queira impor sua vontade aos ministros, ou estes sejam bastante fracos de caráter para que um dia digam branco e outro, preto? Teriam eles, unanimemente, e ao mesmo tempo, mudado de parecer, como papai? Por que não convidam o seu Caxias para voltar para lá? Ele já está melhor, e os médicos lhe recomendaram os ares de Montevidéu. Pois será Gaston que sem mais nem menos vá já para a guerra, só porque houve boatos de sublevação de rio-grandenses? E é papai que acredita logo nisso, quantas vezes se recusa a crer o que se lhe está asseverando? [...] a falta de meu bom Gaston seria muito mais prejudicial para o Brasil do que a de Caxias [...] não sei verdadeiramente como veio essa decisão súbita, quando o que agora só o que se tem é papel de capitão do mato atrás de Lopez."[65]

A decisão do imperador pela nomeação do Conde D'Eu e a renúncia de Caxias causaram um estranhamento generalizado. Ninguém entendia ao certo o que estava ocorrendo. A começar pela furiosa Princesa Isabel, como vimos.

A opinião dominante era a de que Caxias havia abandonado a guerra ao deus-dará. Opinião que havia ressoado inclusive na Europa. Em carta de Montlebanon, de 7 de maio de 1869, D. Francisca comenta com o imperador que "o pobre Caxias fez tristíssima figura, o que fez-me pena (pois tinha sido, apesar de sua idade, tão corajoso) de partir sem licença do governo [...] na Europa não teria ficado o negócio assim — teria tido um Conselho de Guerra e, embora me aches pessimista, teria desejado, para exemplo, que o Caxias tivesse passado por um Conselho de Guerra. Mas não. Teve um ducado porque tinha protetores [...] não gosto das injustiças e acho que para o Caxias a justiça faltou — por causa da partida do Exército, tendo deixado tudo, nem mesmo um chefe no seu lugar. Enfim, é triste e faz mau efeito na Europa para o nosso país."[66]

O Conde de Joinville também comentou o fato nas cartas de Twickenham, de 2 e 7 de abril de 1869: "Estou confuso com o retorno de Caxias [...] cometeu uma grave falta não se esforçando para terminar a guerra no momento do sucesso de Angostura [...] compreendo cada vez menos, devo confessar, o oferecimento feito a Gaston de ir para a guerra num momento desses. Depois de ter sempre dito que sua presença no Exército era motivo de descontentamento para os aliados."[67]

D. Francisca achou tardio o envio do Conde D'Eu para o front e cobrou explicações do imperador em carta de Montlebanon de 25 de junho de 1869: "Acho que é esse comando, como se diz vulgarmente em francês — *moutarde après diner* —, para ele. Agora que a guerra vai ser toda de guerrilhas, não me parece coisa agradável e ter ele somente muito embaraço e muito perigo sem ter as vantagens das grandes e triunfantes batalhas que tivemos [...] desejo ter alguns detalhes e saber os motivos que o fizeram nomear o Gaston comandante de nossas forças agora."[68]

Mas é do Conde de Joinville a reprimenda mais severa que o imperador leva por ter só então nomeado o Conde D'Eu para o comando do Exército, quando a guerra estava praticamente encerrada. Na carta de Twickenham, diz, quase insultando o imperador: "Com tal exclusivismo não terá o Brasil um amigo na Europa. Como eu li outro dia num jornal de Nova York, em matéria de estrangeiros somente as prostitutas têm oportunidade de se realizar no Brasil."[69]

Pode-se imaginar o quanto D. Pedro II deve ter-se esforçado para manter os seus projetos secretos e suas estratégias no silêncio das suas salas de São Cristóvão, sem poder se confessar com ninguém, nem mesmo com os seus parentes mais próximos.

Pela fidelidade extrema com que Caxias havia se portado no cumprimento do seu papel na conspiração urdida pelo imperador, foi recebido efusivamente por D. Pedro II no Rio de Janeiro, com todas as manifestações de apreço possíveis e imagináveis. Ao contrário do que praguejavam todos, que falavam até em Conselho de Guerra e punição exemplar. Pobres e desinformados.

No diário da imperatriz Teresa Cristina de Bourbon-Duas Sicílias, esposa de D. Pedro II, uma anotação de 21 de novembro de 1869 faz menção à ocasião da chegada de Caxias e sua recepção no Palácio de São Cristóvão: "Vieram esta noite o Marquês e a Marquesa de Caxias. Depois de ter ficado o marquês muito tempo com o imperador, veio cumprimentar-me, estando eu com a marquesa e D. Josefina. Na minha presença, deu-lhe o imperador a Medalha de Campanha e quis que eu a colocasse no peito do marquês."[70]

Dias depois, o imperador o elevaria à condição de duque e lhe outorgaria a Ordem de Pedro I (título e condecoração jamais outorgados a nenhum outro brasileiro), além de ter-lhe concedido também a Grã-Cruz da Rosa, chegando ao cúmulo da gratidão de tê-lo presenteado na ocasião com um colar que pertencera ao seu pai, D. Pedro I.

Realmente percebe-se que os serviços prestados por Caxias primeiro ao imperador e depois ao futuro da Monarquia no Brasil não foram de pouca monta. Caxias, como se pode perceber, foi peça-chave na conspiração estrategicamente urdida pelo imperador. Mas ainda restava ao Conde D'Eu fazer a sua parte.

O CONDE D'EU NA GUERRA

uatro grandes vitórias do Exército brasileiro sugeriam o final iminente da guerra. Em 6 de dezembro de 1868, a Batalha do Itororó, a primeira grande batalha vencida pelo Brasil contra o Paraguai, foi tão importante que entrou para o imaginário popular por meio da canção de ninar "Fui no Itororó beber água e não achei...". No dia 11 de dezembro de 1868, houve a Batalha do Avaí. Entre os dias 21 e 27 de dezembro, a Batalha de Lomas Valentinas. A 30 de dezembro de 1868, a Batalha de Angostura. No início de janeiro de 1869, Caxias toma finalmente Assunção.

Essas vitórias dão fundamento à teoria de Sérgio Buarque de Holanda, segundo a qual se ao novo ministério — o de Itaboraí, surgido com a inversão partidária — corresponde o tempo da colheita, o de Zacarias de Góis — deposto — foi o da sementeira, ou seja, mesmo com todas as oposições a Caxias, foi nesse período que se preparou o terreno para as batalhas finais.[71]

Se do lado do Brasil o ministério, contra o parecer do imperador, pensava em dar a guerra por acabada, do outro lado do front, no Paraguai, Lopez não se rendia e alimentava com isso a fogueira do discurso do imperador, que o queria inteiramente derrotado.

Sabe-se que em 23 de dezembro de 1868, depois de algumas derrotas importantes em território paraguaio, Lopez fez seu testamento, passando todos os seus bens para a esposa, Elisa Lynch, confiou a tutela dos filhos ao embaixador americano e se embrenhou na cordilheira de Ascurra, única rota de fuga disponível, onde pretendia reorganizar seu exército e fazer frente à invasão brasileira.

Embora o seu destino estivesse praticamente selado, no precioso tempo que ganhava, qualquer coisa poderia acontecer, qualquer coisa. Se, por um lado, as desinteligências na Tríplice Aliança não se agravaram o suficiente para isolar o Brasil na guerra e nenhuma revolução interna — por conta da inversão partidária — tinha posto por terra a única Monarquia das Américas, que tanto atormentava Lopez, por outro lado, aquele que havia sido o principal responsável por sua derrota na guerra, Caxias, acabava de renunciar ao comando do Exército brasileiro. De um modo indireto essa atitude de Caxias ajudou Lopez, que ganhou uma trégua — sobreviveria ainda escondido por cerca de 460 dias —, até que outro comandante fosse escolhido.

Caxias entrou em Assunção no dia 5 de janeiro de 1869 e já em 16 de janeiro, mal saboreando o gosto da vitória, passou o comando do Exército para Guilherme Xavier de Sousa. Havia de todos os lados uma pressão para que a guerra se encerrasse com a capitulação de Assunção e com a fuga de Lopez. Na Europa, segundo o próprio Ministro Itaboraí, havia também um clamor pela paz imediata. No Brasil, José Bonifácio, o Moço, declarava em São Paulo que "era um absurdo julgar-se humilhante o Brasil abater o Paraguai deixando de derrubar Solano Lopez. Suprimir um homem não é suprimir um princípio. Destruamos seus baluartes, firmando a liberdade fluvial, limitemos suas forças e deixemo-lo em paz".[72]

Quanto à posição do imperador não havia dúvidas: a guerra só se daria por encerrada com a prisão ou morte de Lopez, e para isso pôs em ação a segunda parte do seu plano. Convocou, como vimos, o Conde D'Eu não para chutar o cachorro morto, segundo a maledicência que corria na época, mas para o revestir de glória caso tivesse sucesso na empreitada. Não restam dúvidas de que foi proposital e estratégica essa mudança de comando, com o intuito de realçar a figura do Conde D'Eu.

Colocá-lo como protagonista de um ato tão importante, tão revestido de simbolismo, fazia parte do processo de construção da figura do herói que pôs fim à guerra. Era alçá-lo a uma condição que ele nunca havia alcançado, ou seja, era torná-lo brasileiro de fato, e as recepções a ele direcionadas no seu retorno ao Rio de Janeiro não nos deixam enganar quanto a essa armação.

A Batalha do Cerro Corá, em 1º de março de 1870, pôs fim à Guerra do Paraguai. Lopez havia sido definitivamente cercado pelas tropas brasileiras e ao oferecer resistência foi morto pelo soldado brasileiro José Francisco Lacerda, o Chico Diabo. A notícia chegaria ao Brasil apenas no dia 17 de março e o comandante do Exército, o Conde D'Eu, no dia 29 de abril.

Para a recepção do conde foi armada toda uma festa cívica com forte viés ufanista. Segundo anota o abolicionista André Rebouças, amigo da Princesa Isabel e do imperador, em seu diário, a festa "foi indescritível. Não foi entusiasmo, foi delírio. Lutava-se para conquistar aonde assentar o pé. Foi assim que, rompendo a massa compacta e confusa da Guarda Nacional, archeiros, Corte, chegou-se até a Capela Imperial, onde rezou-se um *Te Deum*".[73]

Toda a família imperial e seu *entourage* desfilaram pela Rua do Ouvidor até o Palácio de São Cristóvão, na Quinta da Boa Vista. Depois, já no Palácio Isabel, no bairro das Laranjeiras, residência oficial no Rio de Janeiro do conde e da Condessa D'Eu, receberam "intermináveis comissões, ouvindo grandiloquentes discursos, desfiles, girândolas".[74]

O próprio Conde D'Eu se entusiasmou de tal forma com o sucesso repentino e inesperado, que escreveu em carta ao irmão: "A recepção foi soberba, era verdadeiramente um magnífico espetáculo a Rua Direita e a Rua do Ouvidor esta manhã. Duvido que em algum país se possa encontrar uma semelhante unanimidade nas demonstrações [...] não fazes ideia do *excitement* que havia em toda a cidade. Durante quatro noites seguidas não havia uma só casa que não estivesse iluminada."[75] Embora soubesse o conde, leitor de Maquiavel que era, que "se engana quem julgar que nos grandes personagens o novo benefício leva a esquecer ofensas antigas".[76] Muita gente ainda estava engasgada com as manobras do imperador.

Nesse momento de festa é D. Francisca que entra novamente em cena, aporrinhando o imperador com suas ideias impertinentes. Dessa vez exigia o impossível. Na carta de Montlebanon, enviada ao imperador no dia 17 de abril de 1870, assim se manifesta: "Quanto deve o nosso país de gratidão ao Gaston e às nossas tropas que o seguiram com tanta coragem e energia [...] acho que as Câmaras que vão abrir deveriam fazer uma oferta ao Gaston, dando-lhe o título de Príncipe Imperial, o que não pode ser feito, creio, senão por elas. É o que se pode dar como prova de gratidão da parte do país por tanta dedicação, não é assim?"[77]

A passagem da titulação de príncipe consorte, ou seja, aquele casado com a herdeira presuntiva do trono, para Príncipe Imperial daria ao Conde D'Eu nada mais, nada menos que o direito de sucessão ao trono do Brasil. Por isso é que D. Francisca reitera com o imperador, em outra ocasião: "Agora o que eu desejaria e acharia uma demonstração da nação muitíssimo bonita e bem justa seria que as Câmaras votassem a dar a Gaston o título de Príncipe Imperial como recompensa e gratidão da parte da nação, bem patente, de agradecimento dos serviços tão grandes e de tanta dedicação ao nosso caro país, acabando com a guerra [...] deverias trabalhar na surdina para que isso seja a primeira coisa que as Câmaras votem."[78]

Estando já com o jogo de xadrez armado, em andamento e sabendo que esse com toda a certeza não era o caminho, pois certamente convulsionaria politicamente outra vez o país, o imperador responde irado à irmã do seguinte modo: "Tu não tens nada que te meter neste negócio, mas se ele não se puder fazer, isto é, com grande votação para ele, não se deve mexer neste negócio."[79] Sem o apoio e apresentação da proposta para a Câmara por parte do imperador, o negócio não foi sequer cogitado, senão no âmbito privado da família, e caiu, em curto prazo, no esquecimento.

O que poucos na época podiam imaginar é que o Conde D'Eu, o novo herói nacional, não havia desempenhado um papel tão decisivo assim no curso da guerra. Pelo contrário, várias vezes quis desertar do cargo de comandante do Exército, no que era pronta e veementemente desautorizado pelo imperador. Depois de alguns meses no front, enfrentando o calor implacável dos trópicos, em outubro de 1869, com Solano Lopez ainda desaparecido, a autoconfiança do conde foi-se dissipando aos poucos, até que desapareceu por completo.

Tomado pelo desânimo, em várias ocasiões o conde escreveu ao imperador pedindo, e de certo modo exigindo, que fosse declarado o fim da guerra dadas as dificuldades imensas encontradas na busca por Solano Lopez em terras paraguaias. Em todas as respostas que endereçou ao comandante do Exército, o imperador se recusava peremptoriamente a aceitar as sugestões, obrigando o genro a permanecer no front até que Lopez fosse capturado, vivo ou morto. Para a sorte de todos, para o alívio do conde e para o bom andamento da conspiração do imperador, nem o conde desertou do Exército e nem a guerra durou muito. Terminou, como vimos, em 1º de março de 1870.

Aliviado, no dia em que recebeu a notícia da morte de Lopez o conde escreveu a seguinte carta ao imperador: "4 de março de 1870, meio-dia. Caro pai. Suponho que, graças a Paranhos, as gloriosas comunicações chegarão mais depressa que estas cartas. Num momento, porém, de tanta e tão inesperada emoção, não posso deixar de me lembrar logo de V. M. e de beijar-lhe a mão pedindo-lhe perdão por minhas descrenças e outras criançadas. Como filho extremoso e reverente, Gaston."[80]

A manutenção do Conde D'Eu na guerra como comandante do Exército, mesmo diante de sua manifesta recusa e impaciência, era condição *sine qua non* para o bom andamento dos planos. Essa carta revela claramente que ao pedir perdão pelas "descrenças e criançadas" o conde sabia exatamente qual era a importância do seu papel no cenário da guerra e, ao que indica, tudo havia sido combinado entre ele e D. Pedro II.

Mas o que o imperador realmente desejava e havia planejado e conspirado para que ocorresse, salvo nos momentos em que a peça principal que movimentava ganhou vida própria e fraquejou, seguiu o curso perfeito traçado por um exímio estrategista no seu jogo de xadrez.

A encomenda havia saído de tal forma sob medida, que Gastão não só havia vencido a guerra, como tomado providências e medidas que evidenciavam qual era o seu modo de pensar e, consequentemente, o de Isabel. Não é por mero acaso que a principal exigência do Conde D'Eu para entregar o poder aos paraguaios e selar um tratado de paz foi justamente a libertação total e incondicional dos escravos naquele país.

Essa atitude ilustra o espírito progressista que povoava o cotidiano da Princesa Isabel, no seu processo de formação para assumir o papel principal da Monarquia brasileira no Terceiro Reinado.

De outro lado, o fato havia despertado a atenção dos conservadores, que passaram a observar com olhos mais minuciosos as atitudes do conde e a tratar já com uma certa preocupação o Terceiro Reinado, cujas diretrizes foram perceptíveis nesse ato do conde, que certamente contava com o apoio total da princesa e com a anuência do imperador.

Mais uma vez é possível notar que qualquer ato da Monarquia que fosse ao encontro de mudanças que ferissem de morte os interesses dos fazendeiros e escravistas brasileiros era confiado ao Conde D'Eu e à Princesa Isabel, num esforço de conectar os herdeiros do trono com um novo mundo que surgira e para o qual o imperador direcionava o Terceiro Reinado e no qual apostava todas as suas fichas.

A QUESTÃO MILITAR

relação dos militares com a classe política e com o Império nunca havia sido das melhores. Desde a década de 1850 jovens oficiais do Exército, oriundos da Escola Militar, vinham criticando, por meio do jornal *O Militar*, negligências ou incompetências dos chamados legistas. A verdade é que para a Escola Militar iam alunos provindos das classes menos abastadas, os filhos da elite preferiam os cursos de direito tanto no Brasil, que haviam sido criados a partir de 1827, como no exterior, em Lisboa.

A geração de Caxias havia sido a última cuja ascensão aos mais altos postos militares estava diretamente vinculada aos laços de amizade ou familiares com a classe dirigente do país.

O fato de os quadros novos do Exército pertencerem à classe baixa redundava em que a grande maioria dos oficiais não tinha curso superior. Essa realidade só vai passar a se alterar a partir da década de 1860. Segundo Sérgio Buarque de Holanda, o fato de a classe militar passar a frequentar curso superior "pode ter alta significação no desenvolvimento de suas opiniões, pois a educação superior lhes dará maior competência no trato de questões teóricas e maior segurança na abordagem dos problemas brasileiros, além de torná-los sensíveis à influência de correntes de pensamento vindas do estrangeiro".[81]

Trinta anos mais tarde, esses mesmos estudantes, egressos de cursos superiores e agora alçados a cargos importantes na hierarquia do Exército, vão procurar intervir na vida política do país, inclusive propondo a organização política brasileira sobre novos moldes, no caso, a República.

Além da gradual conscientização política dos militares a partir da década de 1850, o que havia vindo de uma só vez como uma avalanche depois dos louvores colhidos pelo Exército na Guerra do Paraguai foi o realce e a moral que ganharam as forças armadas perante a população.

A encruzilhada, portanto, da vitória na Guerra do Paraguai, para o imperador, era conseguir dosar o entusiasmo com que essa conquista seria assimilada no Brasil. Houve uma questão apenas, na orquestração de toda a conspiração, que o imperador não soube dosar com maestria: como forçar a luz e as cores na pintura do quadro do papel de mito que seria construído em torno da pessoa do Conde D'Eu, sem levar a reboque e deixar que essa luz e essas cores, no entanto, fossem extensivas ao Exército consequentemente.

Segundo o historiador Raimundo Faoro, ao longo de todo o período monárquico "uma circunstância feria duramente a estima social do militar: a profissão, de acordo com os preconceitos liberais do tempo, servia à destruição, à barbárie institucionalizada, equiparando o oficial ao parasita. Os valores burgueses, que estimam no produtor o único elemento útil na sociedade, desprezam o homem que não planta, não fabrica e não faz a riqueza circular. O militar, sem utilidade social, seria um monstro obsoleto, sobrevivo apenas enquanto não se civilizasse o mundo".[82] E o imperador nunca escondeu que era essa também a sua opinião, ou seja, um Exército reduzido, sem muita expressão.

A vitória retumbante na Guerra do Paraguai havia trazido, no entanto, um elemento novo nessa relação entre sociedade civil e militares. Esse elemento novo era o próprio fato de, ao ganhar prestígio social, a incompatibilidade entre a importância que o Exército tinha e o descaso com que era tratado saltou aos olhos.

Para frear um pouco essa espécie de efeito colateral indesejado da conspiração armada pelo imperador era preciso agir, e foi isso que ele fez. Sua primeira medida prática foi a desmobilização do Exército, reduzindo seus efetivos de 100 mil homens, que serviram durante a guerra, para 19 mil já em 1871 e para 13 mil no ano da Proclamação da República, em 1889.

Segundo Oliveira Lima, "ao regressarem do Prata, os regimentos triunfantes, parece que o governo do Rio de Janeiro receava de sua parte qualquer acesso de febre militarista ao contágio das aclamações populares. Preocupava-o especialmente a volta dos voluntários e imaginou despi-la de toda pompa, fragmentando as unidades, dissimulando os estandartes e abafando as músicas".[83]

Como vimos, só o Conde D'Eu foi saudado como herói. A festa havia sido organizada para ele, para recepcioná-lo. A conspiração toda girava em torno de sua pessoa. Aos homens que pelejaram nas batalhas restou o abandono e o esquecimento. Chico Diabo, por exemplo, que havia de fato matado Solano Lopez, foi trabalhar de mero capataz nas estâncias do Rio Grande do Sul, sem nenhum reconhecimento por parte do governo brasileiro.

A legião de escravos que foi arregimentada para a guerra com a promessa de serem alforriados no final do conflito, além do direito a outros benefícios, como terras e algum tipo de assistência social, quedou completamente abandonada. Sem ter para onde voltar, onde morar, nem como se alimentar, sem trabalho, sem direitos e sem assistência, essa legião, agora livre, mas sem liberdade, como já antecipamos, aglomerada em cortiços no sopé dos morros, vai dar origem às famosas favelas cariocas.

A obsessão do imperador em aceitar o fim da guerra somente após a morte de Solano Lopez e seu consequente prolongamento fez com que o contingente do Exército fosse se avolumando a tal ponto que, terminada a guerra, o Exército vai se tornar para o imperador uma pedra no sapato.

Até mesmo o Conde D'Eu, cuja formação na Europa seguia padrões militares, indignou-se com a situação dos seus comandados. Numa carta ao Visconde de Lage, fala até em "traição para com seus companheiros de armas".[84] Mas logo foi orientado pelo imperador a apagar o incêndio, pois "a situação política do país exigia alguma precaução e que era prudente evitar uma grande aglomeração desses militares saídos da luta armada, devendo proceder-se a um rápido desarmamento".[85]

É assim que, segundo Faoro, "o expediente repressor acentuou a solidariedade interna do Exército e, ao bloquear a sua expansão e ascensão social, forçou-o a criar valores novos, estranhos ao contexto comum, reivindicatórios e críticos".[86]

É assim também que "as reações do setor desdenhado se cristalizam, nos últimos 15 anos da Monarquia, na convicção de que os homens de farda, só eles, eram puros, sãos, patriotas, enquanto os civis, os casacas, não passavam de políticos podres, corruptos, aproveitadores da miséria do país. Daí até o engajamento nos movimentos de protesto — o abolicionismo e a República — vai apenas um passo, naturalmente empurrado pelas desastradas cautelas e incitamentos civis".[87]

Com todas as suas fichas investidas na Guerra do Paraguai para alavancar de vez a figura do inexpressivo Conde D'Eu, o imperador conseguiu o que queria e também o que não queria. Era uma questão de tempo os militares enviarem ao Palácio de São Cristóvão a conta do desprezo que haviam recebido.

A PROVIDENCIAL PRIMEIRA VIAGEM DO IMPERADOR À EUROPA

Encerrada a Guerra do Paraguai, o imperador colhia os frutos de sua estratégia vitoriosa ao mesmo tempo que plantava um vendaval, a Lei Paranhos, conhecida como Lei do Ventre Livre. Na visão do imperador, que partilhava da tese de Pangloss, o preceptor do *Cândido*, de Voltaire, vivia-se no Brasil como se no melhor dos mundos possíveis.

O Conde D'Eu havia, enfim, saído do ostracismo em que vivia, como estrangeiro que era, e havia não só se integrado na vida brasileira, com seus mandos e desmandos, mas caído nas graças do povo como o homem que havia vencido Lopez e a Guerra do Paraguai.

Entusiasmados com a experiência da libertação dos escravos no Paraguai, a questão da escravidão também deveria ser encaminhada por aqui. Apenas a partir desse gesto inicial é que o imperador se sentiria seguro para obter o passaporte da Câmara e do Senado para a sua tão esperada primeira viagem à Europa.

Na cabeça do imperador não pegaria bem, após os apelos recebidos dos europeus para o fim da escravidão no Brasil, chegar na Europa sem nenhuma carta na manga. Certamente, no ciclo de intelectuais europeus, ele seria cobrado nesse sentido. Ter encaminhado a questão para votação no Senado e na Câmara, ao mesmo tempo que saía de viagem, tirava das costas do imperador o fardo da escravidão e ele poderia desfrutar a companhia dos seus pares europeus sem culpa e sem cobranças, ao mesmo tempo que se livrava do temporal que certamente viria.

Parecia perfeito. Mas como tem sempre alguém para se opor a tudo, era preciso encarar, antes, a oposição da Assembleia à sua viagem. E ela surgiu, sobretudo, em torno da questão de quem assumiria a Regência do trono.

Prevendo que uma hora ou outra isso ocorreria, anos antes, logo que a princesa se casou com o Conde D'Eu, o Senador José Inácio Silveira da Mota tencionou apresentar um projeto de lei onde propunha que "as princesas brasileiras, casadas com príncipes estrangeiros, não têm direito à Regência, embora sejam mais próximas em parentesco e residam no Império".[88]

O presidente do conselho era Caxias e, ao menor sinal de incêndio, a tropa de elite do imperador não hesitou em entrar em ação. No mesmo dia em que D. Pedro II tomou conhecimento do projeto, a engrenagem da sociedade de troca de favores girou. Ele então conspirou com os seus pares, e de cochicho em cochicho, à boca pequena, tramou-se o desprezo completo pelo projeto, que foi, enfim, lançado no rol das questões insignificantes e sequer foi apresentado para análise e discussão. Ao senador deve ter ficado a lição de que se não há vontade política, o mais relevante dos projetos simplesmente não anda. Governar não é tarefa para amadores e o imperador era um profissional.

* * *

Mas para não continuar mexendo em vespeiro, D. Pedro II resolveu submeter a sua viagem à apreciação do Conselho de Estado, como, aliás, determinava a Constituição. Na ocasião, segundo consta na ata do dia 25 de abril de 1871, foram discutidas as seguintes questões: Ausentando-se o imperador para fora do Império, como permite o artigo 104 da Constituição, compete a Regência à Princesa Imperial? A Assembleia Geral pode limitar as atribuições da Regência, quando esta cabe ao príncipe imperial ou ao parente do imperador de que fala o artigo 122 da Constituição? Tendo a Assembleia Geral o direito de limitar as atribuições da Regência, convém que no caso ora previsto faça algumas limitações?

Para o Visconde de Abaeté, a princesa imperial não poderia deixar de ser designada para exercer a Regência e não havia motivo para se limitar a autoridade da Regência. O Visconde de Itaboraí, o Visconde de São Vicente, Nabuco de Araújo, o Barão de Muritiba, o Visconde de Sapucaí, o Barão do Bom Retiro, o Barão das Três Barras, Carneiro de Campos e, é claro, o Duque de Caxias votaram de acordo com Abaeté. O único que colocou alguma reticência foi Sales Torres Homem, que, embora concordasse com a Regência da Princesa Isabel, propôs que os seus poderes fossem limitados. Voto vencido.

Na verdade, o quiproquó em torno da viagem do imperador surgiu por dois motivos principais: o primeiro deles foi a inversão partidária de 1868; o segundo, o comportamento do Conde D'Eu no Paraguai, que ao decretar o fim da escravidão havia despertado a atenção daqueles que aqui usufruíam de um regime escravista. O segundo motivo, certamente, porque movimentava fortunas, pesou mais do que o primeiro. Isso porque a Lei Paranhos ainda corria em sigilo absoluto e seria apresentada apenas depois que o imperador já estivesse na Europa.

A implicância, no entanto, não era recente, havia começado exatamente no dia 22 de maio de 1867, quatro anos antes, portanto, na sessão solene de abertura dos trabalhos legislativos daquele ano. Durante a Fala do Trono, um discurso já tradicional onde eram expostas as principais questões que deveriam ser discutidas e votadas naquele ano, o discurso do imperador surpreendeu a todos e inflamou corações e mentes. O discurso transcorria normalmente, morno e até monótono, com as ladainhas protocolares de sempre, até que D. Pedro II detona uma bomba. Diz ele de supetão: "O elemento servil no Império não pode deixar de merecer oportunamente a vossa consideração, provendo-se de modo que, respeitada a propriedade atual, e sem abalo profundo em nossa primeira indústria — a agricultura — sejam atendidos os altos interesses que se ligam à emancipação."[89]

As palavras do imperador enrubesceram os deputados, se alastraram e abalaram a cidade do Rio de Janeiro, reverberando nas províncias de São Paulo e Minas Gerais como um terremoto. Falava-se até em loucura, em delírio do imperador. Todo mundo ainda tinha claro na lembrança que a bisavó e a avó eram louquinhas de tacar pedra.

Não tardou para que alguém ventilasse no ar da Corte as verdadeiras razões de D. Pedro II: o tal manifesto da Junta Francesa para a Emancipação, recebido, como vimos, em 1866.

Dizia-se que a vaidade doentia e o incontido desejo do imperador em ser aceito por personalidades e intelectuais na Europa, sobretudo na França e nos países por onde passaria durante a sua viagem, o levaram a tomar tais medidas.

Foi então que os políticos retomaram o assunto sobre o manifesto, que havia sido publicado primeiro pelo *Diário do Rio de Janeiro* em 18 de setembro de 1866 e havia passado despercebido e depois publicado no *Jornal do Commercio* em 16 de fevereiro de 1867, num editorial intitulado *Questão Importante.*

Não demorou para que as palavras da carta de resposta de D. Pedro II à Junta, "a emancipação dos escravos, consequência necessária da abolição do tráfico, não passa de uma questão de forma e oportunidade", fossem interpretadas como se tivesse literalmente dito: a escravidão será abolida no Brasil logo depois de encerrada a Guerra do Paraguai. Da noite para o dia os rumores e os boatos se avolumaram de forma a convulsionar o espírito dos fazendeiros e dos seus representantes na Câmara e no Senado.

Toda essa celeuma obrigou o imperador a soltar uma nota circunstanciada para esclarecer a sociedade sobre a questão. Ficou a cargo de Zacarias de Góis — o mesmo que, como vimos, seria demitido depois do episódio da inversão partidária de 1868 —, supervisionado pelo imperador, escrever a nota publicada no *Diário Oficial*, onde reproduziam a carta-resposta à Junta e comentavam: "Bem se vê que o Governo não disse que, acabada a guerra, tomaria logo medidas para extinguir a escravidão. O documento emanado do ministro de Negócios Estrangeiros desfez cabalmente tal inferência. O que o governo disse foi que a questão da abolição no Brasil é questão de forma e oportunidade. Dizer menos do que isso em resposta à carta da liga estrangeira fora retrogradar à doutrina de Aristóteles, hoje derrocada pela luz do evangelho e da filosofia, sobre a legitimidade da escravidão em face do direito natural. Dizer mais importava uma usurpação das prerrogativas das Câmaras, às quais, e não ao Executivo, compete decretar o tempo e a forma da extinção da escravatura. O governo colocou-se num meio-termo entre dois extremos condenáveis: disse que a abolição era questão de forma e de oportunidade para não parecer um governo bárbaro. Não marcou época nem forma da abolição, porque isso não estava na sua alçada. Apenas declarou à Associação estrangeira que logo que as circunstâncias embaraçosas do país o permitissem, consideraria objeto de primeira importância a realização, que depende de forma, daquilo que o espírito do cristianismo reclama do mundo civilizado. A agricultura é a primeira indústria do país e ora repousa no braço escravo. Suprimir de repente a escravidão, tendo-se só em vista sentimentos religiosos, morais e filosóficos, fora sacrificar a propriedade particular e o bem do Estado, como adiar indefinidamente a solução do problema do trabalho livre no Brasil fora também comprometer a fortuna pública e particular."[90]

O discurso na Fala do Trono foi realizado com o claro intuito de medir a temperatura da Câmara e do Senado em relação ao tema escravidão. Com a repercussão negativa, para preservar os seus planos, que eram muito mais ambiciosos, o imperador foi obrigado a recuar para não causar atrito e fez uma média com a nota circunstanciada para apaziguar os espíritos.

Se mexer no vespeiro do escravismo, do latifúndio e da imigração era algo que o imperador, ele próprio, decididamente não podia fazer, por outro lado não podia furtar-se ao fato evidente de que a partir de certa altura da história do Brasil a Monarquia se deparou com um problema onde estava em jogo o seu próprio futuro. Dependendo do jogo de forças sociais que se pusessem ao lado da Monarquia, era bem possível que as vozes republicanas que se faziam ouvir cada vez mais fortes não passassem de um mero contraponto, perfeitamente contornável, e que um Terceiro Reinado seria algo extremamente viável.

Com a decadência das raízes ibéricas, a Monarquia — ela mesma uma dessas raízes — parecia também estar fadada ao fracasso e ao fim. Mas se essa mesma Monarquia soubesse se aproximar do novo mundo que vinha à luz, era bem provável que então, e só então, o sistema monárquico persistisse no Brasil.

A ideia era que com a morte de D. Pedro II, que já se encontrava irremediavelmente doente, todo o mundo arcaico deveria desaparecer junto com ele e um novo mundo deveria surgir. O projeto do Terceiro Reinado, o reinado da Princesa Isabel e do Conde D'Eu, era o de se descolar pouco a pouco das velhas tradições ibéricas. Pessoalmente, a princesa já vinha fazendo muito nesse sentido com o engajamento na causa emancipacionista. Assim como havia demonstrado esse viés nas viagens à Europa, quando se aproximava de um mundo mais liberal, o mundo das cidades, das indústrias e do comércio. Era com esses novos agentes sociais, os comerciantes, os industriais, os banqueiros, os rentistas etc., que o Terceiro Reinado deveria contar para poder subsistir.

Uma nova etapa da conspiração se inicia, portanto, com as viagens programáticas do imperador e com as consequentes Regências providenciais da Princesa Isabel, que iam justamente no sentido de programar as mudanças de paradigma na sociedade brasileira e na Monarquia. Mudanças sem as quais a Monarquia definitivamente não sobreviveria.

Desde o casamento da Princesa Isabel com o Conde D'Eu, as viagens do imperador e até as Regências, tudo foi deliberadamente pensado e programado. Esse processo não está inserido, é claro, numa linha reta e visível a olho nu. É uma linha tênue, sinuosíssima, mas que vista microscopicamente e seguindo alguns indícios nos revela muitos elementos convergentes que nos permitem pensar exatamente dessa forma.

Assim como nada na primeira parte da história do Segundo Reinado, até 1850, havia ocorrido por acaso, tudo na história do Segundo Reinado a partir de 1850 havia ocorrido de forma deliberada.

A PRIMEIRA REGÊNCIA DA JOVEM PRINCESA ISABEL

esolvida a questão da viagem e resguardado o direito à Regência para a Princesa Isabel, como também as atribuições que competem ao Poder Moderador e ao chefe do Poder Executivo, restava ao imperador dar sequência aos seus planos. O mais importante deles era, sem dúvida, apresentar a Lei Paranhos e comprar uma briga com Deus e o mundo. Tudo isso para testar até onde a princesa aguentava as pontas ou pediria para sair da brincadeira.

É claro que não estava sozinha na empreitada. Com ela, todo o *entourage* do imperador: de um lado, o Visconde do Rio Branco, autor da lei, e de outro, o Duque de Caxias. Com essa espada e com esse escudo, dificilmente alguém teria olhos para vê-la, mãos para tocá-la e pés para alcançá-la. A princesa estava blindada.

Era preciso que a herdeira do trono, futura Imperatriz do Brasil, mostrasse a sua cara e iniciasse o seu próprio caminho nas entrelinhas melindrosas da política nacional. A Princesa Isabel, além de sofrer o forte preconceito de gênero de sua época, era ainda uma ilustre desconhecida em seu próprio país.

Para isso, no entanto, era fundamental que D. Pedro II se ausentasse do país. Vários fatores convergiam para que assim agisse. Primeiro, uma questão pessoal: já havia passado da hora de o imperador fazer a sua primeira viagem para a Europa. Segundo, duas questões estratégicas: uma era a necessidade de começar a cozinhar a Princesa Isabel no caldo da política nacional para ir pegando cancha; outra era a apresentação da Lei Paranhos, que ia dar o que falar, mas como o imperador já estava relativamente queimado com a oposição desde a inversão partidária em 1868, era melhor chutar o balde agora e levar logo a surra que tinha que levar. Contudo, do ponto de vista internacional, a hora não poderia ser menos propícia, já que em Paris acabava de estourar a Comuna.

O imperador derramou combustível, lançou o fósforo aceso e deu as costas. Para todos os efeitos, ele estava na Europa, não tinha nada a ver com aquela lei. Assim, além de não abalar o seu capital social com os fazendeiros, ainda tinha a chance de apagar qualquer eventual incêndio que porventura viesse a surgir de forma, digamos, mais descontrolada.

Mas, antes de embarcar, tratou logo de tomar todas as providências no sentido de suprir as possíveis lacunas que a sua ausência causaria.

A primeira delas foi escrever uma espécie de tratado direcionado para a sua sucessora, a Princesa Isabel, revestida agora de plenos poderes. Aos 24 anos, Isabel assumiria o seu primeiro período regencial, debaixo do braço trazia o tratado escrito pelo pai exclusivamente para ela: *Conselhos à Princesa Isabel de como melhor governar.*

Esse tratado é um documento histórico importante. Nele podemos perceber quais eram as principais questões que preocupavam o imperador e que ele jamais revelara, senão nessa carta privada, direcionada apenas para aconselhar a filha por ocasião de sua investidura ao cargo de Regente do trono.

Analisando as convergências desse documento com os três períodos de ausência do imperador e com as consequentes Regências da Princesa Isabel, é possível perceber que algumas decisões que precisavam ser tomadas, por exigências das próprias mudanças históricas, e que foram efetivamente levadas a cabo, seguiam um roteiro minuciosamente ensaiado. Não foi por mero acaso, tampouco por força da ideologia da princesa, que as decisões de fato importantes foram tomadas.

O imperador já havia preparado o terreno para que o Conde D'Eu se integrasse à sociedade brasileira por meio de sua exposição na Guerra do Paraguai, da qual saiu herói, e agora era a vez de a Princesa Isabel assumir pela primeira vez a Regência. Não foi à toa que uma lei no mínimo polêmica — a do Ventre Livre — acabou sendo votada durante a Regência da Princesa Isabel.

Aos olhos dos outros, parecia loucura o imperador ter deixado nas mãos da inexperiente Isabel uma decisão impopular, que poderia comprometer até a sua aceitação, já que era a herdeira do trono. Mas, de fato, sua intenção era justamente o contrário, ou seja, o fato de ter deixado a princesa nessa situação correspondia a iniciar a conexão da princesa herdeira com uma nova mentalidade que surgia na sociedade brasileira — liberal, antiescravista, urbana.

Estava tudo calculado e muito bem articulado. Para o imperador, nas suas conversas com Gobineau e Varnhagen, desde os primórdios do Instituto Histórico e Geográfico Brasileiro, como vimos, estava claro que o futuro não passava pela escravidão, e sim pela substituição urgente pelo trabalho livre e assalariado. Somente esse processo seria capaz de alavancar o advento da nova sociedade. Os velhos tempos estavam, definitivamente, moribundos.

No dia 20 de maio de 1871, a princesa tomou posse como Regente do Império; no dia 25 de maio D. Pedro II embarcou para a sua viagem.

A grande questão que atormentava os espíritos mais conservadores em relação à Lei do Ventre Livre não era tanto o fato de ser votada durante a Regência, mas a questão de quem estava por trás da Regência da Princesa Isabel, o Conde D'Eu. Nenhum dos políticos ligados aos senhores de escravos havia esquecido que um dos primeiros atos do Conde D'Eu no final da Guerra do Paraguai foi justamente a abolição da escravidão naquele país.

Mas D. Pedro II estava irredutível e fincou pé na ideia, deixando instruções expressas para que o Visconde do Rio Branco encaminhasse a questão da reforma abolicionista antes de tudo. E de todas as questões que haviam para ser discutidas fica claro, pelas cartas da princesa ao pai, que Rio Branco havia levado a instrução do imperador ao pé da letra, deixando de lado outras questões importantes, como a reforma eleitoral, por exemplo.

Na carta de 22 de setembro de 1871, a Princesa Isabel relata o andamento da questão: "Quanto à lei eleitoral, não me esqueci dela e lembrei-a mesmo a Paranhos, mas ele me disse que apresentá-la enquanto se discutia a servil seria imprudente, pois logo se poriam os deputados a querer falar também nesta e assim a tomar tempo precioso à outra."[91] Fica claro que a prioridade do imperador, articulado com Rio Branco, era a Lei do Ventre Livre; as outras podiam esperar.

Em 12 de maio de 1871, o ministro da Agricultura apresentou à Câmara a proposta ou a bomba que o imperador já havia detonado nas Falas do Trono de 1867 e 1868, e dizia: "Augustos e digníssimos senhores representantes da nação, não convindo que continue indecisa a solução da questão servil, urge dirigi-la com acerto por causa da fortuna particular e pública. Disposto o Governo Imperial a concorrer para que adoteis providências que realizem pausadas, mas sucessivamente a emancipação da escravatura no Brasil, de ordem de Sua Majestade, o Imperador, tenho a honra de apresentar-vos a proposta seguinte, na qual o direito das gerações futuras e os direitos de propriedade estão atendidos."[92]

Em 15 de maio de 1871, a Câmara pede a votação de requerimento de urgência para a criação de uma comissão especial de cinco membros para dar parecer sobre a proposta relativa ao elemento servil. Recolheram-se 82 cédulas, sendo duas em branco, e foram eleitos Luiz Antonio Pereira Franco, juiz baiano; Joaquim Pinto de Campos, escritor pernambucano; Raymundo Ferreira de Araújo Lima, político cearense; João Mendes Almeida, juiz maranhense, e Ângelo Thomáz do Amaral, jornalista carioca.

Ao longo de todo o mês de maio e junho, os debates vão se sucedendo. No dia 15 de junho, os fazendeiros apresentam um primeiro manifesto, indignados, contra o projeto por meio do conselheiro de Estado Paulino José Soares Souza, onde se podia ler: "Esta e outras manifestações análogas irão provando que o governo quis se iludir quando acreditou, ou pelo menos pretendeu inspirar-se na opinião, iniciando as medidas contidas na proposta de 12 de maio, quando lhe aprouve ver uma conquista da propaganda nas frequentes manumissões com que, não de hoje, mas de há já bastante tempo, todas as classes da sociedade, e principalmente os lavradores, têm revelado as elevadas qualidades da índole nacional, quando, no silêncio circunspecto da lavoura, quis ver não o receio das inquietações em que estamos vivendo, mas a aquiescência a planos que vão ferir de morte, trazendo a desorganização e a indisciplina aos estabelecimentos rurais."[93]

Em 30 de junho, a comissão especial submete à Câmara o resultado dos estudos. O parecer contém 27 capítulos, onde se recomenda que a questão deve ser analisada por "cinco lados: pelas suas relações com a religião, a humanidade, a pátria, os escravos e os particulares. Diz-nos a consciência que, a todas essas luzes, a proposta é digna de vosso acolhimento".[94]

Em 5 de julho, novo manifesto dos fazendeiros por meio do deputado paulista Rodrigo Augusto da Silva, onde diz: "Senhor presidente, tenho aqui uma representação dos lavradores do município de Itu, que, pela sua riqueza de ilustração, pelo desenvolvimento de suas indústrias e empresas, ocupam lugar de honra no distrito que represento nesta casa [São Paulo]. Realmente, neste município dá-se um fato pouco comum neste país, onde as populações do centro ainda não se libertaram da tutela pertinaz, porém descuidada, dos poderes públicos, a iniciativa individual tem produzido todos os prodígios que se admiram nos povos da América do Norte, a seu cargo estão a instrução, os estabelecimentos de caridade e as próprias estradas de ferro. Pois bem, este município, que apresentava tanta vida e energia, está hoje abatido, desanimado, vendo a sua propriedade sem valor, as suas empresas em risco, a sua segurança em perigo. Não exagero, aqui está uma representação assinada pelos mais notáveis lavradores daquele município, que descrevem ao parlamento as tristíssimas circunstâncias em que se acham depois do aparecimento da proposta do governo sobre o elemento servil."[95]

Como se pode ver, o espírito mais combativo contra a emancipação provinha dos deputados ligados às zonas produtoras de café. No caso da representação de Rodrigo Augusto da Silva, por exemplo, em que faz, não por acaso, referência à cidade de Itu, onde ocorreria, dois anos mais tarde [1873], a famosa Convenção de Itu. Na ocasião, diversos clubes republicanos espalhados pela capital e pela província de São Paulo fundaram o Partido Republicano Paulista [PRP]. Por outro lado, o espírito mais colaborativo, também não por acaso, advinha dos deputados representantes do Nordeste, onde o uso do trabalho escravo já havia declinado consideravelmente. Tanto a ponto de o Ceará ter sido, em 1884, quatro anos antes da Lei Áurea, a primeira província a proclamar a abolição da escravidão.

No dia 10 de julho, entra em segunda discussão o projeto do governo. Após os embates que já duravam meses, o projeto é aprovado em 28 de julho por 65 votos a favor e 45 contra. Em 4 de agosto, se inicia a discussão no Senado, onde em 28 de setembro a lei seria aprovada com 33 votos a favor e 7 contra.

O ministro João Alfredo dá testemunho do clima que tomou conta da Câmara naqueles dias, e diz "o teto da Câmara parecia desabar no meio do alarido infernal de gritos e campainhadas".[96] A princesa também relata ao pai os maus bocados que estava passando: "A Câmara dos Deputados é que tem estado furiosa e indecente. Verá pelos jornais."[97] E em outra correspondência, do dia 23 de agosto de 1871, assinala a sua apreensão e ceticismo em relação ao fácil desenrolar dos acontecimentos, e diz: "Não sei se a proposta sobre a emancipação passará este ano no Senado. Talvez não seja conveniente, quando ainda não acabou de todo na Câmara dos Deputados e falta tão pouco tempo para o encerramento [...] os espíritos dos fazendeiros, que declararam suas opiniões, andam tão agitados."[98]

Em carta de 4 de outubro é possível perceber que o espírito da Princesa Isabel já era outro. Com o projeto aprovado, mostrava-se inteiramente aliviada e transbordava de satisfação. Dizia "votou-se a lei sobre o elemento servil a 27 e no dia 28 foi sancionada. Faço ideia do prazer que terá papai ao receber essa notícia. A impressão geral por cá também tem sido muito favorável".[99]

O Conde D'Eu, que havia participado de tudo, parecia ter mais noção do que a vitória significava. Em carta de 5 de outubro de 1871 enviada a seu pai, comemorava o fato de que "a votação da lei foi recebida com entusiasmo pelo público, desde então só há felicitações por esse motivo e as vozes da oposição não ousam mais se fazer ouvir".[100]

Mas o depoimento mais entusiasta foi o do Ministro João Alfredo, um dos cães de guarda da Princesa Isabel na Câmara e no Senado. Diz ele, muitos anos depois, rememorando o dia histórico: "Quando o projeto passou em última discussão, o povo que enchia as tribunas, as galerias e todo espaço livre por trás do recinto irrompeu em grandes aplausos e aclamações que Abaeté, agitando com as mãos trêmulas a campainha de prata, por pouco tempo tentou em vão dominar. Na tribuna do corpo diplomático estava, entre outros, o ministro dos Estados Unidos. Quando a sessão terminou, desceu ele ao recinto e colheu com as próprias mãos algumas flores das que o povo atirava a Rio Branco e aos senadores que sustentaram o projeto. Vou mandar essas flores ao meu país, declarou, para mostrar como aqui se fez desse modo, uma lei que lá custou tanto sangue."[101]

Mas essa não seria a única questão importante para o Império e para a Monarquia que havia sido propositalmente deixada a cargo da Princesa Isabel por seu pai. Outra questão de fundamental importância para os planos do imperador que passou quase despercebida — devido à publicidade que ganhou a Lei do Ventre Livre — foi a da imigração.

Esse tema é igualmente determinante, pois estava diretamente relacionado com a extinção da escravidão. A imigração teria, na visão do imperador, um duplo significado, ou melhor, uma dupla utilidade.

Primeiro porque o trabalho do imigrante seria o substituto natural do trabalho escravo, seja por meio de parcerias, seja por meio do trabalho assalariado. Uma vez eliminada a escravidão, como era o plano do imperador, o imigrante deveria suprir a lacuna e a demanda que seria criada por mão de obra. Outra questão que o final da escravidão também deveria amenizar era a dos latifúndios. A intenção do imperador era a de que, com a imigração, se desenvolvesse no país, cada vez mais, tanto a cultura do trabalho assalariado como a das pequenas propriedades familiares, que produziriam sobretudo para o mercado interno.

Segundo porque, com a imigração, o imperador começaria a resolver uma questão polêmica, introduzida no seu rol de preocupações pelos seus amigos, o Conde de Gobineau e Varnhagen. Como vimos, para ambos os intelectuais a imigração principiaria um processo de branqueamento da população, a partir do qual a civilização se aproximaria cada vez mais do Império dos trópicos.

Desse modo, fica claro por que o imperador, ao sair de viagem, havia encaminhado para a Câmara e para o Senado dois assuntos tão importantes: em primeiro lugar, o início da resolução do problema da escravidão, e, em segundo, a questão da imigração e a solução do problema da mestiçagem.

Passada a batalha pela aprovação da Lei do Ventre Livre em outubro de 1871, em novembro do mesmo ano a questão da imigração entra nos debates. Nos anais do Senado, por exemplo, na ata do dia 15 de novembro de 1871 há uma ampla discussão sobre o tema.

Na ata, a Princesa Isabel abre as discussões expondo sem delongas o objetivo principal da Monarquia, que era o de, com o auxílio do governo, propor e estabelecer "uma corrente de imigração espontânea e alimentá-la pelo tempo necessário para que ela se torne permanente".[102]

O financiamento total [15.000.000$000 de contos de réis, ou seja, quase 150 milhões de reais nos dias de hoje], quase 10% de todo o orçamento do Império para o ano de 1872, estava voltado para financiar duas frentes de trabalho. A primeira com gastos com a imigração propriamente dita, ou seja, os custos com o transporte etc.; já a segunda parte estava reservada para os gastos com investimentos.

No quesito investimentos dava também para se ter uma ideia das mudanças que estavam nos planos da Coroa. Essa parte dos investimentos deveria contemplar a "construção, reparo e conservação de estradas, pontes e canais, no melhoramento de rios e portos, no estabelecimento e custeio da navegação interna, na compra ou construção de edifícios nos núcleos coloniais, no estabelecimento de máquinas e fábricas de diversos gêneros, tais como serrarias, olarias, engenhos de açúcar, moinhos, fábricas de ferro, de tecidos, de algodão, dentro ou fora dos limites dos núcleos coloniais e em conexão com eles".[103] Como se pode ver, os problemas estruturais do país, bem como os PACs [Programas de Aceleração do Crescimento] dos governos hodiernos não chegam a ser uma novidade no Brasil.

A intenção era a de promover a introdução de 30 mil imigrantes até 1877, 50 mil até 1882, 75 mil até 1887 e 100 mil até 1891. Se era a hora de agir, o imperador começou a pôr em prática o seu plano de transformação do país e de preparação do Terceiro Reinado.

Um tsunami se formava na costa brasileira, não demoraria muito para chegar às praias.

O CENSO DE 1872. O IMPERADOR QUER SABER: QUE PAÍS É ESTE?

uando o Conde de Gobineau deixou o Brasil em 1870, a conexão do imperador com a Europa e com a civilização e cultura europeias sofreu um abalo. A partir dessa data o imperador meteu na cabeça que o país não podia mais esperar por mudanças. Era como se a situação do país, a escravidão sobretudo, mantivesse ainda mais distante o Brasil da Europa do que o imenso oceano que os separava de fato.

A vaidade do imperador em pertencer ao mundo ilustrado o havia tocado profundamente. Nesse momento, também decide que vai empreender a sua primeira viagem ao mundo que existia apenas no seu imaginário. Ir para a Europa pela primeira vez produziria em sua alma uma marca profunda. No espelho da cultura e da civilização europeias, a imagem do imperador refletia o atraso e o provincianismo. Era preciso mudar.

D. Pedro II voltou de viagem a 30 de março de 1872. Tudo que ele havia previsto, ordenado, encaminhado, planejado e até sonhado ocorrera a contento. A sua primeira viagem à Europa também havia deslanchado exatamente como planejado.

O imperador partiu do Rio de Janeiro no dia 25 de maio de 1871, e antes teve o cuidado de escrever ao Ministro Miguel Maria Lisboa, em Lisboa, dando uma ordem expressa: "Minha viagem é em caráter inteiramente particular [...] não devo pois aceitar as honras que pretendem fazer-me por qualquer consideração que não respeite aquele caráter [...] tendo, provavelmente, de haver quarentena, irei para o Lazareto, e muito me afligirei se qualquer exceção a meu respeito contrariar o intuito da legislação portuguesa."[104]

Quando chegou a Portugal, D. Pedro II fez exatamente o que havia dito, ficou a bordo do navio *Douro*, que o havia conduzido até Portugal, e se recusou a se transferir para a corveta *Estefânia*, que havia sido preparada para recebê-lo.

O Rei D. Fernando de Portugal o visitou no *Douro* e reiterou o convite, que foi recusado pelo imperador: "Agradeço muito tamanho obséquio, mas não posso aceitar. Hei de sujeitar-me à lei comum, cumprindo a quarentena com os meus companheiros de viagem. Aqui não sou mais que Pedro de Alcântara."[105] O máximo que o imperador aceitou foi ir para o Lazareto.

O Lazareto era um edifício reservado para a quarentena dos viajantes que chegavam a Portugal, oriundos de lugares onde havia algum tipo de doença contagiosa. No caso do Brasil, grassava uma epidemia de febre amarela e, portanto, ali os visitantes deveriam ficar isolados para se desinfectarem. No seu diário, o imperador anotou a certa altura: "Estou no Lazareto, custou-me desvencilhar-me das cerimônias."[106]

Depois de Portugal, ele seguiu para a Espanha, onde fez questão de visitar o Museu do Prado. Na Inglaterra, procurou por Darwin, que estava em viagem. Esteve na Escócia e na Bélgica, onde fez questão de visitar o campo de batalha de Waterloo. Na Alemanha, visitou Bismarck, e em Berlim, teve a oportunidade tão esperada de conhecer Richard Wagner, que ele considerava o músico do futuro. Foi a Coburgo visitar o túmulo da filha Leopoldina, de onde seguiram para a estância termal de Karlsbad. Passaram ainda por Praga, Salzburgo, Viena, Budapeste e Veneza. Esse roteiro havia sido inspirado, na sua maior parte, nas conversas com Gobineau quando ainda no Brasil.

Ao desembarcar em Alexandria, no Egito, o imperador recebeu o telegrama do Brasil anunciando a aprovação da Lei do Ventre Livre. Extasiado, ele ordenou que escrevessem imediatamente a Rio Branco "enviando-lhe este abraço que lhe dou e diga-lhe, na linguagem a mais positiva, que estou penhorado e desejava abraçá-lo agora pessoalmente, o que farei logo que o aviste em minha volta. Diga-lhe mais, que o considero como meu homem, em quem deposito toda a confiança e esperança que posso ter, nutrindo a crença de que ele não me abandonará no muito que temos a fazer."[107]

Depois de circular por Nápoles e Roma, o imperador pôde se dedicar enfim ao grande sonho de sua vida: Paris. Numa Paris recém-saída da Comuna, o imperador se reencontrou finalmente com o seu grande amigo Gobineau, que seria o seu cicerone e o apresentaria a todos aqueles homens que D. Pedro II só conhecia por meio dos livros. Foi assim que conheceu Ernest Renan, Alexandre Dumas, François Mignet, Théophile Gauthier, Hippolyte Taine, Claude Bernard, François Guizot, entre outros. Mas o que mais impressionou o imperador foi Louis Pasteur, para quem ele enviaria, quando de volta ao Brasil, a comenda da Ordem da Rosa.

No dia 13, deixaram Lisboa, e no dia 20 de março de 1872, chegaram ao Rio. O imperador trazia consigo os seus netos, filhos de sua falecida filha Leopoldina.

Na volta ao Brasil, encontrava-se entusiasmadíssimo. Nos mais de 20 dias que passou a bardo do navio, teve tempo suficiente para analisar o país, que no fundo ele não conhecia. Nessa ocasião, teve uma ideia elementar, era preciso conhecer o país, era preciso fazer um censo. O imperador encomendou o censo de 1872 para analisar a real situação do país e para monitorar o alcance das mudanças que estava pensando em programar.

No dia 30 de dezembro de 1871, na última reunião da Câmara e do Senado naquele ano, foi encaminhado, portanto, esse outro projeto pessoal do imperador. Tratava-se da articulação para a realização do primeiro censo da história do Brasil. O imperador queria saber que país era este e esses números seriam fundamentais para a continuidade e o encaminhamento dos seus projetos.

O censo de 1872 revelou para o imperador a cara do Brasil. Éramos um total de 9.930.478 habitantes; 3.787.289 declaravam-se brancos, 4.188.737 pardos e 1.954.452 negros.

Na Corte, ou seja, na cidade do Rio de Janeiro, havia 22.033 habitantes livres e cerca de 48.939 escravos. Havia 77.872 brasileiros e 56.008 estrangeiros. Se tomarmos apenas o número de habitantes do sexo masculino e livres no quesito educação, veremos que, dos 133.880 habitantes, apenas 65.166 sabiam ler e escrever, enquanto 68.714 eram completamente analfabetos. Esse número aumenta significativamente se tomarmos os habitantes do sexo feminino e chega a quase 100% se tomarmos os escravos, chamados na pesquisa de elemento servil.

Em toda a província do Rio de Janeiro, a população escrava era de 292.637; em São Paulo, de 156.612; em Minas Gerais, de 370.459, e na Bahia, de 167.824. Em todo o país havia 1.510.806 escravos no ano de 1872. Esses números evidentemente não são precisos. A pesquisa não se deu de forma rigorosa, muitos municípios ficaram de fora da contagem, mas, de qualquer modo, revela uma das primeiras radiografias do país.

Um dos aspectos que saltaram aos olhos do imperador foi a dimensão e a gravidade da questão do escravo, que devia ser superada urgentemente. Além de projetar uma imagem altamente negativa do país, essa questão já era vista pelas nações europeias como um crime contra a humanidade, portanto um anacronismo que deveria ser inequivocamente sobrepujado.

Outro aspecto da pesquisa revelou o quão a sociedade brasileira ainda era rural e agrícola. Grande parte do Produto Interno Bruto do país provinha de atividades ligadas ao universo do campo e às exportações de gêneros primários. Essa era uma balança que o imperador queria equilibrar, ou seja, ir aos poucos libertando o país da dependência do campo e da exportação de commodities por meio do incentivo ao comércio, à indústria e de todo tipo de atividade urbana, com o intuito de fazer surgir no país, em detrimento da velha aristocracia rural, uma classe média comercial e uma burguesia industrial.

No censo de 1872, as profissões agrícolas venciam disparado qualquer outro tipo de atividade. Do ponto de vista dos proprietários, havia 3.037.466 lavradores e 206.132 criadores. Já somando os funcionários que trabalhavam no campo, entre criados e jornaleiros (que trabalhavam sazonalmente, por jornadas) havia 409.672 na roça e 1.045.615 domésticos.

Havia apenas 19.366 manufaturas, pequenas fábricas e indústrias. Comerciantes, guarda-livros e caixeiros, 102.103. No campo dos profissionais liberais havia apenas 968 juízes, 1.647 advogados, 493 notários e escrivães, 1.024 procuradores, 1.619 oficiais de justiça, 1.729 médicos, 238 cirurgiões, 1.392 farmacêuticos, 1.197 parteiros, 3.525 professores, 10.710 funcionários públicos. No rol das profissões manuais e mecânicas havia 19.461 operários que trabalhavam com metais, 39.492 que trabalhavam com madeiras, 139.342 que trabalhavam com tecidos, 20.960 que trabalhavam com edificações e assim por diante.

Em todo o país somavam-se 389.459 estrangeiros, sobretudo portugueses. Com os incentivos dados pelo governo para a imigração, como vimos, iriam entrar no Brasil, já a partir de 1876, 350.117

imigrantes, e de 1877 a 1903, mais de 1.927.992. Nesse ritmo entraram mais de 71 mil imigrantes por ano, principalmente italianos, espanhóis, alemães, judeus, árabes, turcos, japoneses, entre outras nacionalidades, culturas, religiões e idiomas.

Esse quadro revela, como dissemos, a dimensão da dependência do país para o campo e, consequentemente, do atraso em que o país se encontrava em relação às nações europeias, os Estados Unidos e até mesmo algumas da América do Sul. Quase todos já imbuídos pelo espírito da Revolução Industrial e pelas ideias do liberalismo político e econômico.

Eram imensos, como se pode ver, os desafios a serem superados no sentido de dar os primeiros passos visando suplantar o aspecto primário-exportador da economia do Império, por uma outra, moderna, urbana, fundada na indústria e na constituição de um mercado interno baseado no trabalho assalariado.

Mas o que mais havia no imperador, depois de voltar rejuvenescido da viagem à Europa, era disposição para levar adiante tais desafios, mesmo que indiretamente, mesmo que pelas mãos, palavras e ações da Princesa Isabel, manipulada de longe, por ele, como um boneco de ventríloquo.

NASCE O MOVIMENTO REPUBLICANO

Com a abdicação de D. Pedro I em 1831, não havia a menor dúvida de que seria instaurada a República no Brasil. Isso porque entre 1809 e 1825 vários países latino-americanos haviam se tornado independentes e optado pelo regime republicano: Venezuela, México, Panamá, Guatemala, Equador, Uruguai, Chile, Paraguai, Argentina, Bolívia e Peru, entre outros.

Como o herdeiro do trono era uma criança de 5 anos, não havia dúvidas de que o caminho era a República. O próprio período regencial pode ser considerado republicano, a primeira República no Brasil. Entre os revoltosos do 7 de abril de 1831, tinha-se a convicção de que, depois da Regência, um governo provisório e de transição, viria a República inexoravelmente.

Essa ideia chegou até a se tornar projeto, proposto na Assembleia Geral Legislativa em 16 de maio de 1835 pelo deputado baiano Antonio Ferreira França, que dizia: "O Governo do Brasil cessará de ser patrimônio de uma família. O atual imperador e suas augustas irmãs cederão seu privilégio e receberão por uma vez um subsídio para completar sua educação e principiarem seu estabelecimento. A nação será governada por um chefe eleito, de dois em dois anos, no dia 2 de setembro, pela maioria dos votos dos cidadãos eleitorais do Brasil."[108]

Como vimos, essa ideia, entre outras com o propósito de mudança de regime, jamais frutificaram. Paravam sempre nos atos conspiratórios da tropa de choque do imperador. Traídos, foram vários os homens que lutaram imensamente para que a ideia republicana vingasse. Não se podia perder o bonde da história e, como vimos, o bonde da história passou e o país ficou esquecido no ponto. O golpe militar dos Lima e Silva, os Deodoro de 1831, prevaleceu.

A ideia de República ficaria adormecida depois de aniquilados, pelo Duque de Caxias, todos os combates, motins, convulsões e desordens que por ela surgiram. O consenso foi fabricado a ferro e fogo.

No livro *Um Estadista no Império,* Joaquim Nabuco diz que a Regência foi para os republicanos um "desastre completo", pois "foi tão esmagadora que a opinião republicana de 1831 tinha desaparecido em 1837 da face do país".[109] Mais adiante, referindo-se à tentativa de se extirpar a planta exótica que representava a Monarquia brasileira em meio a repúblicas americanas, dizia Nabuco que "à nação mais valia apresentá-la aos olhos do mundo como um país livre do que a vanglória de ser classificada entre as repúblicas americanas, com as suas dinastias de ditadores, meio bandidos e meio patriotas, como foram chamados, e que formam, com rara exceção, a mais extensa série de governos degradantes entre povos de origem europeia".[110]

A ideia republicana que havia ficado adormecida desde 1837, portanto durante 30 anos, ressurgiria com toda a sua força apenas em 1867. Justamente após a Fala do Trono do imperador, onde ele propôs o projeto sobre o elemento servil e, em 1868, com a inversão partidária e a queda do Gabinete Liberal.

Numa dessas ironias políticas tipicamente brasileiras, os liberais depostos em 1868, que irados e inconformados com o poder pessoal do imperador e da Monarquia acabaram desenvolvendo ideias republicanas, eram visceralmente contra qualquer projeto que tocasse na questão do elemento servil. A maioria dos republicanos era formada por escravocratas da zona cafeeira de Minas, Rio e São Paulo. Foram os conservadores que tocaram o projeto.

Só muitos anos depois, com o movimento abolicionista, e quando o tema da escravidão passou a servir de combustível da crítica contra a Monarquia, já próximos da proposta dos Sexagenários e da Lei Áurea, já na década de 1880, é que a emancipação de escravos e a abolição entram na agenda dos republicanos.

Inclusive muitos deputados que foram contra na ocasião da Lei do Ventre Livre vão votar a favor na Lei dos Sexagenários e na Lei Áurea, como é o caso de Rodrigo Augusto da Silva, que, como vimos, havia apresentado em 1871 inúmeros protestos de fazendeiros contra a Lei do Ventre Livre.

O fato é que desde a Fala do Trono de 1867 vários clubes republicanos haviam se organizado, sobretudo nas zonas cafeicultoras de São Paulo, Rio de Janeiro e Minas Gerais. O objetivo principal era combater qualquer projeto que fosse na direção contrária dos interesses dos produtores de café e o maior interesse desses distintos senhores era, sem dúvida, a manutenção do alicerce de toda a sua cadeia produtiva: o trabalho escravo.

Em matéria de emancipação da escravidão ou qualquer coisa do gênero, já bastavam os ingleses, que haviam, por muito tempo, até 1850, imposto toda sorte de entraves ao negócio. Pensavam em 1867 os fazendeiros que, antes monarquistas, eram, agora, republicanos desde criancinhas.

Tentaram, desse modo, toda sorte de manobras para impedir que o projeto encaminhado pelo imperador fosse aprovado na

Câmara e no Senado e, quando a causa foi perdida com a aprovação da lei em 28 de setembro de 1871, radicalizaram.

Amadureceram a ideia dos clubes republicanos e urdiram uma reunião que se realizou na cidade de Itu em 1873. Todos associados em torno do princípio maquiavélico segundo o qual "quando não se obrigam para contigo, porém, por decisão e ambição, é porque se ocupam mais de si mesmos do que de ti".[111]

O Manifesto Republicano surgiu poucos meses antes de a Princesa Isabel assumir a sua primeira Regência com a viagem do Imperador D. Pedro II. Um grupo de profissionais liberais, de fazendeiros descontentes e até de escravocratas elaborou um manifesto. Nesse manifesto pode-se ler: "No Brasil, antes ainda da ideia democrática, encarregou-se a natureza de estabelecer o princípio federativo. A topografia do nosso território, as zonas diversas em que ele se divide, os climas vários e as produções diferentes, as cordilheiras e as águas estavam indicando a necessidade de modelar a administração e o governo local acompanhando e respeitando as próprias divisões criadas pela natureza física e impostas pela imensa superfície do nosso território. Foi a necessidade que demonstrou, desde a origem, a eficácia do grande princípio que embalde a força compressora do regime centralizador tem procurado contrafazer e destruir. Em tais condições pode o Brasil considerar-se um país isolado, não só no seio da América, mas no seio do mundo. O nosso esforço dirige-se a suprimir esse estado de coisas, pondo-nos em contato fraternal com todos os povos, e em solidariedade democrática com o continente de que fazemos parte."[112]

Como se pode ver, a principal discussão do manifesto girava mais em torno da questão do federalismo e a principal oposição era em relação ao poder pessoal do imperador.

A ideia surgiu concomitantemente com a fundação do primeiro clube republicano em 3 de novembro de 1870 na cidade do Rio de Janeiro. Como vimos, havia duas motivações principais para que, em meio ao clima de otimismo que rondava o Império nos anos anteriores, com a vitória na Guerra do Paraguai, esse grupo resolvesse se organizar e sistematizar tal oposição: a primeira delas a inversão partidária de 1868, que dera poderes absolutos ao imperador, e, a segunda, a consciência entre os fazendeiros escravocratas de que a Princesa Isabel levaria a cabo em sua Regência um projeto do imperador, que era a Lei do Ventre Livre.

Junto com a fundação do clube, decidiu-se também criar um jornal, órgão por meio do qual as ideias republicanas seriam difundidas e que não poderia ter outro nome senão *A República.* E nesse jornal, em seu primeiro número, de 3 de dezembro de 1870, saiu publicado o Manifesto, que contava, no seu final, com os signatários da proposta.

Dizem que havia também uma lista secreta, assinada por aqueles que não podiam aparecer publicamente como apoiadores ou entusiastas da ideia republicana, pelo menos naquele momento.

Como se pode ver, a principal questão debatida no Manifesto era a do poder pessoal do imperador e o federalismo. Os problemas sociais e econômicos do país simplesmente não entraram na pauta, e muito menos a questão da escravidão.

Sem, portanto, uma polêmica que pudesse chamar a atenção ou inflamar os espíritos, a repercussão do Manifesto foi limitada. Talvez também porque somente os letrados ou os que simplesmente sabiam ler, que eram pouquíssimos, é que provavelmente repercutiram o Manifesto.

A verdade é que não havia um clima antimonárquico na sociedade brasileira naquele momento, que era a condição *sine qua non* para que alguma faísca surgisse e acendesse o rastilho de pólvora. Algumas revoluções começam às vezes com um simples ato, uma simples palavra. Para se iniciar uma revolução é necessário que haja todo um clima propício, sem o qual mesmo as melhores das causas passam despercebidas. Foi assim com o Manifesto Republicano.

Definitivamente, no início da década de 1870, não havia clima. Não era a hora nem o lugar.

Outro óbice ao espírito republicano é uma ocorrência bastante comum no Brasil até os dias de hoje. Não é raro que um partido político, quando não está no poder, faça oposição ferrenha ao governo, e quando se torna governo, passe a agir exatamente da mesma maneira ou a defender os mesmos pontos de vista do governo que outrora criticava.

Na época do Império se dizia que não havia nada mais parecido com um conservador do que um liberal no poder. O poder, como é do conhecimento do leitor, corrompe corações e mentes. Depois da queda de 1868, os liberais só voltariam ao poder em 1878, com o Gabinete do Visconde de Sinimbu.

Havia também entre os antimonarquistas os aventureiros.

Heitor Lyra, no livro *História e Queda do Império,* faz referência a um artigo publicado pelo advogado, jornalista e diplomata Salvador Furtado de Mendonça, um dos signatários do Manifesto Republicano, publicado no jornal *O Imparcial* de 8 de junho de 1913, onde revela que corria secretamente "um plano elaborado pelo capitão Pompílio de Albuquerque, de conivência com outros militares e civis republicanos, visando um golpe de Estado contra a Monarquia assim que o imperador partisse para a sua primeira viagem ao estrangeiro, em maio de 1871."[113]

Outro dado curioso, este publicado no jornal *A República,* era uma espécie de calendário republicano que assinalava os seus próprios acontecimentos históricos importantes e as datas comemorativas. A data de 12 de novembro de 1823 aparecia como dissolução da Constituinte Brasileira à mão armada; o dia 13 de janeiro de 1825 era o dia do fuzilamento do Frei Caneca; o dia 12 de março de 1825 era o dia do enforcamento de João Guilherme Radcliff. Tanto Frei Caneca como Radcliff foram líderes da Confederação do Equador, em 1824; 2 de fevereiro de 1849 era a data do assassinato de Joaquim Nunes Machado; 20 de outubro de 1851 era o desaparecimento de Pedro Ivo Velloso da Silveira da prisão. Tanto Nunes Machado como Pedro Ivo foram líderes da Revolução Praieira; 7 de setembro de 1822 era considerado como o dia da farsa do Ipiranga.[114]

No ano de 1873, *A República* chegou a ter uma tiragem de 12 mil exemplares, um número considerável para a época. Sem o tal clima antimonárquico, o jornal foi completamente extinto em 1874. Morreu de morte natural.

Salvador Furtado de Mendonça, um dos signatários do Manifesto, anos depois avalia nas suas memórias a aventura republicana do jornal nestes termos: "É difícil imaginar agora o pasmo, a estupefação que se apoderaram desta pacata cidade burguesa, quando uma bela manhã viu erguida na frontaria de um sobrado de dois andares, em plena Rua do Ouvidor, uma grande tabuleta com as palavras em letras que queriam ser vistas: *A República*."[115]

Outro fruto desse florescimento do republicanismo no Brasil foi a Convenção de Itu e a fundação do Partido Republicano, realizada no dia 18 de abril de 1873.

Segundo o depoimento de José Maria dos Santos no livro *Republicanos Paulistas e a Abolição,* Itu havia sido escolhida não só por ser um grande reduto de fazendeiros paulistas, mas também porque no dia anterior ao da Convenção, ou seja, no dia 17 de abril, se inauguraria oficialmente um ramal da estrada de ferro sorocabana, com a presença de várias autoridades. Dos 10.821 habitantes da cidade de Itu, metade era de escravos que trabalhavam nas lavouras do café. A escolha não poderia ter sido mais adequada para uma convenção daqueles que defendiam o regime escravista.

Américo Brasiliense ficou responsável pela lista de nomes que seriam convidados e consta que, embora não estivessem incluídos, vários negociantes de escravos participaram da convenção. Assim como mais tarde incluiriam o nome de Prudente de Moraes na lista dos participantes.

Mas o que mais contribuiu para o arrefecimento do ideal republicano nesse início da década de 1870, depois de imensos esforços despendidos no sentido de construir os alicerces desse ideal, foi, sem dúvida, a ausência completa de uma proposta dos republicanos em torno da questão da escravidão.

Em São Paulo, sobretudo o Partido Republicano Paulista era formado basicamente por latifundiários, produtores de café e escravocratas. Daí se explica o porquê de esses homens se ligarem desde a primeira hora ao republicanismo e por que a questão da escravidão saiu da pauta dos republicanos. Por detrás da defesa da propriedade privada estava a defesa da manutenção da escravidão. Os escravos faziam parte do espólio de bens desses fazendeiros, despojá-los deles seria o mesmo que ferir de morte os seus patrimônios.

Outra explicação da aberração que era ser ao mesmo tempo liberal e escravista está justamente nos motivos que levaram esses homens ao ideal republicano: a mera oposição à Monarquia. A aprovação da Lei do Ventre Livre em 1871 na Câmara e no Senado havia alçado a Monarquia brasileira a uma posição de vanguarda. Os republicanos, mesmo sabendo que a questão da abolição era, no momento, para a sociedade brasileira, mais importante do que a mera mudança de regime, insistiram em não apoiá-la. Claro, no Brasil, desde aquela época, oposição é oposição, mesmo que, muitas vezes, lutando contra os interesses do próprio país e do povo, somente para firmar que é do contra.

Assim é que, naquele momento, o republicanismo e a oposição à Monarquia estavam sendo defendidos pelo setor da sociedade que era o que havia de mais conservador e retrógrado. Enquanto a Monarquia, em consonância direta com a opinião pública urbana, liberal, dos comerciantes, dos industriais, capitalistas etc., era aplaudida de pé pela iniciativa em torno da questão da escravidão. Por incrível que possa parecer, a Monarquia era, naquele momento, o que havia de mais avançado em termos de projeto para o país, em sintonia com a civilização europeia inclusive, que era o grande anseio dos novos-ricos da época.

Esse movimento das peças no tabuleiro do xadrez do Império, orquestrado pelo imperador, foi realmente uma jogada de mestre. Como se diria hoje, 1 a 0 para o imperador.

PARTE III

Crônica de uma república não proclamada

TERCEIRA REGÊNCIA OU TERCEIRO REINADO?

Com o entusiasmo dos republicanos decaindo da brasa para as cinzas, o cotidiano da Monarquia voltou ao normal.

No dia 10 de dezembro de 1881, a Princesa Isabel retornou da Europa (a segunda viagem ao continente, depois de três anos e meio). Entre 1878 e 1881, morou na França, sobretudo em Paris. Esse foi o período mais longo que permaneceu longe do seu país e dos pais, e durante o qual ela amadureceu muito, viajou, acompanhou e observou de perto todas as grandes transformações no universo social, cultural e econômico pelas quais o Velho Continente estava passando. No retorno ao Brasil, sentiria, inevitavelmente, o forte impacto da distância que ainda separava o Brasil da Europa em vários aspectos, mas um soava especialmente como algo que já havia transposto a barreira do intolerável: a escravidão.

Em pouco tempo a princesa passou a se engajar em projetos sociais, vinculados à educação, à caridade e a obras sociais. No ano de 1882, tornou-se patrona da Comissão das Senhoras da Instrução

Pública e da Associação da Infância Desamparada. Não demorou muito também para que a princesa fosse convidada para eventos em várias cidades do país, onde o chamado Fundo de Emancipação Particular, criado com o intuito de comprar e libertar escravos, entregava cartas de alforria.

Foi assim que, provocativamente, na cidade de Itu, berço do republicanismo paulista, a princesa relata em seu diário: "Entreguei 14 cartas de liberdade, arranjadas por meio do Fundo de Emancipação."[1]

No dia do aniversário de 64 anos da sua mãe, a Imperatriz Teresa Cristina, a Princesa Isabel articulou para que fizesse parte da solenidade a entrega de cartas de alforria para 176 escravos. Todos alforriados com o dinheiro arrecadado pela princesa por meio do Fundo de Emancipação, patrocinado pelos novos-ricos da sociedade carioca.

Com essas atitudes, não demorou muito para a princesa criar uma celeuma. A Câmara dos Deputados sugeriu à Princesa Isabel que articulasse formalmente uma comissão de senhoras distintas da sociedade para melhor conduzir a prática de arrecadação de fundos para a libertação de escravos.

Com a criação da comissão, no fundo a Câmara queria acompanhar de perto as quantias arrecadadas e quem eram os doadores. Desobediente aos conselhos da Câmara, a Princesa Isabel passou a organizar no Paço Isabel, sua residência em Laranjeiras, disputadíssimas reuniões regadas a muita música, dança, comes e bebes, cujo principal objetivo era a arrecadação de fundos, que, parece, abundavam generosamente.

O Gabinete Cotegipe, que havia ascendido em 20 de agosto de 1885, tratou logo de reportar à Câmara que havia sugerido um projeto, nestes termos: "O Gabinete não aconselha que Sua Alteza a Princesa Imperial lhe preste o grande prestígio de sua posição e de suas virtudes, antes pede respeitosamente, em bem do serviço do Estado, que em questão dessa natureza [escravidão] Sua Alteza

Imperial guarde a neutralidade de alguma forma imposta às altas personagens isentas da responsabilidade."[2]

A princesa, no entanto, estava amadurecida em suas convicções e tornou-se, à revelia de tudo e de todos, osso duro de roer. Sabia, iniciada em Maquiavel pelo imperador e pelo Conde D'Eu, que para se firmar como princesa dependia "somente da vontade e da fortuna dos que lhe concederam o Estado, quer dizer, de dois fatores volúveis e instáveis".[3] Procurava marcar a sua posição, pois sabia também, tendo aprendido com Maquiavel, que "aqueles que não preparam antes os alicerces somente serão capazes de executar depois esse trabalho caso possuam grande capacidade, mas para desgosto do arquiteto e perigo para o edifício".[4]

O ano de 1884 havia sido sabático para a questão da emancipação dos escravos no Brasil. Em março, a província do Ceará decretou a libertação de todos os seus escravos; em julho, foi a vez da província do Amazonas, e em setembro, a do Rio Grande do Sul. Seguindo o exemplo das províncias e tendo sido já apresentado à Câmara o projeto de emancipação dos sexagenários, muitos fazendeiros resolveram, por conta própria, dar a alforria a seus escravos.

Claro que há nesse ato uma enorme conveniência, já que o espírito abolicionista rondava o país como um lobo feroz. Os escravos haviam deixado de ser uma mercadoria negociável e em alguns casos passaram a ser um estorvo, já que esse mercado estava caindo cada vez mais em desuso e ficando extremamente malvisto pela sociedade.

Não há no ato desses fazendeiros, portanto, nenhum gesto de humanidade, de altruísmo. Ao contrário, queriam livrar-se da, digamos assim, massa falida das fazendas. Por conseguinte, lançavam esses escravos à própria sorte, escapando ao ônus de abrigá-los e alimentá-los. Essa massa de ex-escravos vai afluir diretamente para os centros urbanos em busca de trabalho ou de meio de vida e irá compor o cenário que há pouco traçamos, ou seja, a formação dos cortiços e das futuras favelas do Rio de Janeiro.

Nesse ano de 1884, decidida a escancarar de vez o problema, custasse o que custasse, a Princesa Isabel criou no Rio de Janeiro e em Petrópolis os chamados "Livros de Ouro", em que assinavam todos aqueles que se dispusessem a dar "donativos espontâneos feitos para o auxílio à emancipação".[5] Os primeiros a assinar *anonimamente* os livros do Rio de Janeiro e de Petrópolis, com uma doação de 500 mil réis cada, foram "um brasileiro" e "S.S.A.A.", ou seja, o próprio imperador, o Conde D'Eu e a Princesa Isabel.

Vinculava-se imediatamente a essas iniciativas da Princesa Isabel toda uma gama de pessoas oriundas da nova elite, comerciantes, industriais e urbanos, que tinham em comum a ânsia de fazer parte da nobreza. Eles jamais perderiam uma chance como essa de fazer parte do *entourage* que cortejava a Monarquia.

Esse *entourage* "ocupava cargos e exercia funções, compartilhando assim tanto das formalidades como das intimidades do imperador e obtendo com isso determinado status. Os conselheiros de Estado, fidalgos e oficiais das casas real e imperial formavam, junto com a nobreza titulada, o grupo especial que durante o Segundo Reinado viveu uma nova versão da Corte [...] é essa mesma Corte que até os anos 1880 funcionará como uma espécie de centro propulsor da moda, das gírias, da política, da cultura".[6]

A necessidade que a Monarquia sentia de se aproximar dessa nova classe social faz com que a concessão de títulos honoríficos vá aumentando. O intuito não era outro senão cooptá-la. Segundo os dados do *Almanak Laemmert*, entre 1878 e 1889 foram concedidos 370 títulos de barão e, somente em 1888 e 1889, 155. Somados os títulos de duque, marquês, conde, visconde e barão, foram concedidos, pouco tempo antes de a Princesa Isabel entrar de fato para a vida política com a Primeira Regência, em 1871, o total de 239 títulos até 1869, 320 títulos até 1879 e 387 títulos até 1889.

Com o apoio dessa gente é que a Monarquia se sentia mais à vontade e segura para avançar nos seus projetos. No dia 28 de setembro de 1885, foi promulgada a Lei dos Sexagenários. Os fazendeiros agiram e conseguiram ainda aumentar a idade para libertação dos cativos de 60 para 65 anos e mandaram um recado para a princesa: "Nós não aceitamos e não aceitaremos jamais o programa da imediata emancipação."[7]

A princesa não deu a menor atenção à ameaça dos fazendeiros e continuou com os seus projetos emancipacionistas à revelia dos conselhos de Cotegipe, para que ela fizesse a coisa de forma discreta e institucionalizada. Uma questão que incomodava profundamente o Gabinete Cotegipe era a relação estreita que a Princesa Isabel vinha mantendo com os abolicionistas. Certamente o barão vinha sendo cobrado nesse sentido pelos políticos vinculados aos fazendeiros. Até então ele contemporizara, imaginando que fosse coisa de uma jovem aloprada e mimada, que não tinha a menor consciência do que se passava no país.

Em 13 de março de 1886, dia da festa de aniversário de José de Seixas Magalhães, na Chácara do Leblon, que, como vimos, era reduto de escravos fugitivos e abolicionistas, o chefe da polícia comunicou ao Ministro Cotegipe, ainda na madrugada do dia 13, que os convidados da festa que iam de bonde até o Leblon, entre eles Joaquim Nabuco e José do Patrocínio, seguiam dando vivas aos escravos fugidos em alto e bom som para quem quisesse ouvir.

Cotegipe solicitou uma audiência urgente com o imperador, da qual pretendia sair com a autorização para mandar a polícia baixar na chácara e prender geral.

Cotegipe encontrou um imperador preocupado. "O que houve?", perguntou o imperador. A Princesa Isabel estava presente. "O Seixas asila negros fugitivos e não dissimula essa cumplicidade. Como a polícia fechasse os olhos, com paciência, os abolicionistas queriam provocá-la, fazendo um escarcéu sem precedentes", disse Cotegipe. "A que horas foi isso?" "Meia-noite, Majestade." "Tão tarde, tão tarde assim, ninguém ouviu." Cotegipe sorriu, olhou o imperador, que parecia bem-humorado, e a princesa, com o rosto iluminado pela emoção que recalcava, compreendeu, aprovou e levemente irônico, disse: "Se Vossa Majestade diz..."[8]

Nesse dia, Cotegipe percebeu que, assustadoramente, o imperador compartilhava das ideias da filha.

O velho deve ter enlouquecido, pensou.

O TERCEIRO REINADO COMEÇOU

ntes de o imperador viajar para se tratar na Europa, ocasião que abriu o caminho para a Terceira Regência da Princesa Isabel, como vimos no primeiro capítulo deste livro, ocorreu um fato sobre o qual se tem poucas notícias. Entre os dias 8 de junho, com a chegada da princesa, e 30 do mesmo mês de 1887, com a partida do imperador, uma intensa convivência aproximou, ao longo de todo aquele período, ainda mais o pai e a filha.

Consta que passaram dias a sós, trancados no quarto do imperador, conversando. Falaram certamente sobre a desinteligência provocada propositalmente por Cotegipe a fim de prejudicá-la. Outra pauta deve ter girado em torno da situação que se apresentava e que indicava que era hora de mover as peças e tomar decisões que estavam congeladas no tempo, aguardando a ocasião exata.

O fato de a abolição ter ocorrido nesse período e de forma segura e precisa por intermédio da princesa regente indica que o imperador, temendo pela vida, havia lhe passado o cetro, a coroa e o trono.

Se é, porém, impossível conhecer a conversa que tiveram, não o é imaginá-la. O imperador certamente passou esses dias inteiros avaliando todos os esforços que haviam sido feitos ao longo de todos aqueles anos no sentido de transformar o Brasil e de preparar a sua sucessão para outro formato de Monarquia, conectada com o novo, de acordo com a grande conspiração que vinha urdindo desde a década de 1850.

A Princesa Isabel, por sua vez, parecia mais segura do que nunca. Havia, desde o momento em que assumira a sua primeira regência, em 1871, com a Lei do Ventre Livre, deixado bem claro que a questão da escravidão era um tema-chave para uma outra economia, para uma outra sociedade, para uma outra cultura. Essa seria a sua marca indelével.

Se fôssemos pensar na construção, como se faz hoje, da imagem de um candidato a presidente da República, era como se a Princesa Isabel tivesse sido preparada para assumir essa bandeira. Assim como hoje os candidatos assumem as bandeiras mais diversas, como a ecologia, a educação etc., a bandeira da candidata Isabel Cristina, a sua plataforma eleitoral, era o fim da escravidão como condição para a revolução social que se pensava fazer.

O imperador deve ter percebido, dada a idade avançada e a condição de saúde, que a sua hora havia chegado. Todos aqueles que fizeram parte de sua tropa de choque já haviam morrido, como, por exemplo, o Visconde do Rio Branco e o Duque de Caxias; Mauá morreria em 1889, um mês antes do golpe republicano.

Tudo que haviam feito os dois, ele e a princesa, durante aqueles anos todos não passava de pequenos ajustes, pequenas sondagens no fundo daquele imenso pântano da organização política, social e econômica do Segundo Reinado. Haviam movido lentamente aqui e ali peças secundárias de um xadrez que jogavam com o tempo. O objetivo final, o xeque-mate, era a superação de toda uma tradição secular.

Ninguém sabe quando vai morrer, mas percebemos que a morte, aos poucos, começa a nos espreitar de longe, pelas portas entreabertas, pelas janelas mal fechadas, pelo sentimento de solidão e de cansaço que se vai sentindo e pela memória, que insiste em fazer viagens ao tempo, como se fizesse um balanço final da vida e de tudo que fomos e fizemos. Antes de decidir-se pela viagem à Europa, D. Pedro II teve que tomar a principal e mais importante decisão de sua vida.

O imperador estava nessa condição quando se reuniu com Isabel num dia qualquer entre 4 e 30 de junho de 1887 e definiu, como numa guerra em que se vai traçando uma estratégia em que às vezes se avança e se recua, se vence e se perde, que o adversário já estava devidamente cercado e ferido. Era hora do ataque final, do movimento derradeiro. O tempo já se havia estendido demais, o prazo minguava a olhos vistos, e ambos então se lançaram na luta, como que de um precipício. Era vencer ou botar tudo a perder de vez. O momento havia chegado, e o xeque-mate não poderia mais esperar.

Para ambos, embora a historiografia não considere assim, o Terceiro Reinado havia começado ali, naquele adeus triste e incerto que o imperador lançava para todos a bordo do navio *Gironde,* que o levava à Europa, e que ganharia o funesto nome, dado por Quintino Bocaiúva, de "Esquife da Monarquia".

Mal o navio desapareceu no horizonte, a Princesa Isabel partiu para a ação direta. Com o aval do imperador e como uma criança feliz que recebe do pai a autorização para ir a um passeio por que tanto ansiava.

Na cabeça do imperador, superado esse obstáculo, passou um filme, que começa no mês de abril de 1831, quando percebeu uma movimentação estranha em casa até altas horas da madrugada e viu, no outro dia, o pai partindo para Portugal e deixando para ele um Império inteiro para ser governado e uma angústia sem fim, como sentia agora.

3

13 DE MAIO: A HORA E A VEZ DA PRINCESA ISABEL

A primeira atitude da princesa para melhor demarcar o seu terreno foi mudar-se com toda a família para o Palácio de São Cristóvão. Embora preocupadíssima com a saúde do pai, como regente vai levar a cabo, ainda de forma mais incisiva do que antes, o seu projeto de Fundos de Emancipação para a Libertação de Escravos, que tanto irritava Cotegipe e os republicanos, mas que a ela rendia imensos dividendos políticos e sociais.

Assim que a princesa assumiu a regência, o Barão de Cotegipe pediu demissão. A presença de Isabel, contra quem havia conspirado, tornou-se para ele insuportável. Era, no fundo, um escravista e sabia que as ideias da princesa iam de encontro às suas, e tudo que ele queria era não ser obrigado a contrariá-la e, consequentemente, contrariar o imperador.

A princesa, surpreendentemente, não aceitou. Achou que aquela seria a hora e a vez de vingar-se. Foi um erro, pois o barão se tornaria o seu maior empecilho, a pedra no sapato, como sempre. Ela não havia colocado em prática a máxima maquiavélica segundo a qual "os homens ou se conquistam ou se eliminam". O Barão de Cotegipe tinha a fama de contemporizar todos os problemas que surgiam. Ficava em cima do muro em tudo e não dava andamento em nada que tivesse uma centelha de polêmica.

Procurava conviver bem com todos e fugia como o diabo da cruz das decisões mais duras, aquelas que pudessem destemperar os ânimos. Somente com muito custo e muita pressão o imperador havia conseguido encaminhar a Lei dos Sexagenários. Cotegipe só encaminhou a lei porque sabia que ela pouco significava, pois a verdade é que pouquíssimos escravos chegavam a essa idade e, quando chegavam, já haviam perdido toda a capacidade produtiva e se haviam tornado um estorvo para os seus senhores. A lei era mais um favor aos escravocratas do que uma punição.

Desse modo, a Lei dos Sexagenários, nos planos de Cotegipe, tendia a ter um efeito mais prolongado, que deveria abrandar os ânimos dos abolicionistas por mais alguns anos, não fosse o agravamento da saúde do imperador, que forçou uma regência inesperada, e não programada. Esse estilo contemporizador é justamente o aspecto que mais vai impor obstáculos aos projetos da Princesa Isabel.

As circunstâncias, no entanto, fizeram com que a grande decisão, que se julgava colocaria em jogo a estabilidade da Monarquia, tivesse que ser antecipada. Como uma peça de teatro em que o ator principal abandona a cena e o coadjuvante tem que dar conta do final, o imperador deixou o palco e delegou à Princesa Isabel a responsabilidade de dar um final épico à peça. Só que a história tinha que necessariamente terminar com a solução definitiva para a questão da emancipação do elemento servil no Brasil, não havia espaço para improvisação.

Mas a esse *gran finale*... não seria tão fácil assim chegar. A princesa vai ser obrigada a amargar a resistência ao seu projeto emancipatório, por parte do Gabinete Cotegipe, ao longo de todo o ano de 1887 e o início de 1888.

Se do lado de Isabel as coisas caminhavam do jeito que ela projetara havia muito tempo, do lado de Cotegipe tudo aquilo que ele intuíra aconteceu. A princesa, assim que assumiu a regência, voltou com a sua intragável questão emancipacionista. Cotegipe certamente não moveria uma palha no sentido de encaminhar qualquer projeto; tinha acabado de aprovar a Lei dos Sexagenários. Para ele era o suficiente para calar qualquer movimento contrário à escravidão por pelo menos mais uns 20 anos.

No entanto, não demorou muito para que Isabel começasse a inquiri-lo sobre a possibilidade de se levar a cabo o projeto. Segundo relatos da princesa, Cotegipe sempre procurava argumentar no sentido de "tapar-me a boca" e mantinha assim a sua completa indiferença ao clamor de setores da sociedade.

Em outra ocasião a princesa revela uma conversa sobre a emancipação com o Barão de Cotegipe: "Disse-o ao Barão [...] a tudo respondeu-me que não iria ao encontro da Lei Saraiva, porque ele também a fizera, mas poderia interpretá-la de modo que o prazo de libertação ficasse muito diminuído, e falou-me de três ou quatro anos para que tudo ficasse finalizado. Nisso encerraram-se as Câmaras, e o sr. barão prometeu estudar a questão no interstício. Cada dia que passava convencia-me de que nada faria."[9]

Com o ano entrando nos seus meses finais, a princesa teve certeza de que nada ocorreria de concreto e voltou a organizar, dessa vez de forma mais ostensiva e incisiva, em Petrópolis e no Rio de Janeiro, festas, bailes e concertos, tudo com o objetivo de arrecadar dinheiro para o Fundo de Emancipação de Escravos.

Mas acima desse objetivo estava o de pirraçar o Barão de Cotegipe e de enviar-lhe o recado de que assim que 1888 começasse, ela voltaria a exigir-lhe uma tomada de posição. Ao se solidarizar e prestigiar o movimento abolicionista, a princesa marcava a sua posição, definitivamente, em torno da questão da emancipação imediata e, é claro, lançava, mais uma vez, a sua sonda política nas águas ainda não inteiramente conhecidas da reação à sua regência e ao seu, por que já não dizer, reinado.

Mal o ano novo havia despertado, no dia 14 de janeiro de 1888 a princesa entrou novamente em ação. A primeira atitude daquele ano foi convocar uma reunião com o Barão de Cotegipe para, é claro, colocá-lo contra a parede.

A princesa teria relatado, nesse encontro particular, uma série de acontecimentos que a vinham desgostando profundamente e o seguinte diálogo se seguiu. Disse a princesa: "Parece que o ministério está perdendo prestígio." Responde um barão surpreendido: "Por quê?" A princesa: "Se refere à questão da abolição da escravidão." O barão: "O ministério estuda a questão e em abril dará a sua opinião, fazendo alguma coisa ou não." A princesa: "Acho bom que o Gabinete desde já fizesse alguma promessa." O barão: "Não tendo plano, seria isso falta de discrição e só as Câmaras é que dariam conta do nosso procedimento."[10]

Pelo início era de supor que o ano seria uma longa travessia para ambos. Em carta de 22 de fevereiro de 1888, endereçada à Condessa de Barral, que acompanhava o imperador e a imperatriz na viagem à Europa, a princesa dava notícias dos movimentos que havia organizado no final do ano anterior com o intuito de libertar escravos e lamentava a morosidade do processo de emancipação. Informa que "o que mais nos influiu foi a ideia de dar um empurrão ao pensamento da abolição em pequeno prazo, que parecia estar no ânimo de todos, exceto no dos emperrados, que é necessário acordar. Ou acordam ou a onda os levará. Que Deus nos proteja e que mais essa revolução ou evolução nossa se faça o mais pacificamente possível".[11]

Quando as coisas chegaram a um ponto em que já parecia não ser mais possível um entendimento entre os dois — a princesa e o barão —, eis que uma ajuda, caída do céu para que a princesa se livrasse de Cotegipe, veio, quem diria, dos militares.

Dois acontecimentos, nos últimos anos, haviam feito com que os ânimos entre os jovens oficiais das escolas militares estivessem, naquele período, para lá de exaltados. O primeiro foi o caso envolvendo o Coronel Frias Vilar, que se havia rebelado contra o Ministro da Guerra Carlos Afonso de Assis Figueiredo, do Gabinete de João Lustosa da Cunha, o Marquês de Paranaguá, e preso por causa de uma promoção a general na qual fora preterido e que havia sido direcionada para Floriano Peixoto, em 13 de janeiro de 1883. O segundo, nesse mesmo ano, foi o caso do jornalista Apulcro de Castro, que por meio do jornal *O Corsário* havia difamado os militares e por isso fora torturado até a morte por oficiais do I Regimento de Cavalaria.

No primeiro dia de março de 1888, um jovem oficial da Armada foi preso pela polícia da Corte, acusado de promover uma baderna qualquer motivado pela embriaguez. O fato seria corriqueiro se as forças armadas já não estivessem com os nervos à flor da pele com o Gabinete de Cotegipe, o que transformou a questão em algo maior, tendo provocado a intervenção da Marinha no caso.

No mesmo dia a princesa interpela o ministro da Guerra sobre a celeuma, e diz: "Sr. ministro, só hoje, e pelos jornais, vim a saber dos acontecimentos ocorridos ontem no Rio. Permita-me que lhe diga que julgo ter havido grande indisciplina na própria polícia, pois há dias para cá não leio senão tropelias feitas por essa. Recomendo, pois, juízo, e que o exemplo parta das autoridades e de quem deve manter a ordem."[12]

O Conde D'Eu e o Príncipe Dom Augusto de Saxe, neto do imperador, filho de D. Leopoldina, fizeram nessa ocasião uma visita ao Clube Naval tanto para demonstrar apoio aos militares quanto, de quebra, toda a distância que faziam questão de manter do Ministério Cotegipe. A tropa de choque da princesa havia saído às ruas, e essa atitude de apoio aos militares por parte da Monarquia inflamou-os ainda mais contra o ministério e, consequentemente, contra Cotegipe. O clima esquentou no Rio de Janeiro.

É claro que a instabilidade social havia sido propositalmente plantada a partir de um fato nem tão relevante assim, como a prisão de um oficial. Em outros tempos, o fato passaria despercebido, mas era a chance que a princesa esperava para se indispor de vez com o ministério, pois, como havia aprendido com Maquiavel, havia dois modos de se tornar princesa: "Ascender ao principado pela perversidade, por meios criminosos, contrários às leis humanas e divinas, e vir a ser príncipe pelo favor dos compatriotas."[13] Depois da morte do Duque de Caxias, manter os militares como aliados era sempre um bom negócio.

O chefe da polícia era ninguém mais, ninguém menos do que Coelho Bastos, o mesmo que, insuflado por Cotegipe, havia quase deflagrado uma diligência na Chácara do Leblon — onde era notório que José de Seixas Magalhães mantinha um quilombo —, abortada na última hora por ordem do imperador.

Era, portanto, a chance de a princesa se indispor definitivamente com o Ministro Cotegipe e também com Coelho Bastos, livrando-se assim, quem sabe, de ambos simultaneamente. Em carta ao ministro da Justiça, argumentou que "ninguém mais do que eu deplora os tristes acontecimentos, mas não posso deixar de continuar a pensar que a polícia, e mesmo o chefe da polícia, tem culpa em tudo isso".[14]

Em carta de 7 de março de 1888, a princesa relata que "no dia em que desci de Petrópolis, o dr. barão de Cotegipe quis falar-me em particular antes do despacho, como muitas vezes o fazia. Começou por relatar-me os fatos e propôs-me a demissão do comandante da polícia, Coronel Lago, e do Alferes Batista. A isso respondi que sim, mas que exigia também a do chefe da polícia. O sr. barão ainda tentou salvá-lo, mas não o conseguindo, puxou do bolso a carta de demissão do Ministério, que já trazia pronta, mas que creio bem não teria apresentado se eu tivesse deixado ficar o sr. Coelho Bastos".[15]

Desde o primeiro dia de sua regência, quando não havia aceitado a demissão de Cotegipe, que a princesa ansiava por aquele momento. Os seus olhos devem ter brilhado quando abriu a carta de demissão e leu a seguinte mensagem: "Senhora, o meu colega da Justiça comunicou-me e eu apresentei ao Conselho de Ministros a carta que Vossa Alteza Imperial lhe dirigiu [...] resultando do seu contexto que a V. A. podem merecer mais crédito outras informações que não as dadas sob a responsabilidade dos seus conselheiros constitucionais, não resta ao gabinete outro alvitre senão o de pedir, respeitosamente, a V. A. I. a sua demissão coletiva."[16]

Nesse dia, 7 de março de 1888, com a queda de Cotegipe, a princesa se livrava de vez de suas amarras. Repetindo de certa forma, por outros meios, a inversão partidária de que o imperador havia lançado mão em 1868 para preservar seus desejos. Nessa ocasião, confessou que todos os passos dados até ali haviam sido milimetricamente planejados, confabulados e urdidos para que a conspiração do imperador seguisse o seu curso natural. Escreveu a princesa numa carta que "teria sido melhor deixar continuar as coisas até a época da abertura das Câmaras [3 de maio de 1888], em que, visto o emperramento do Ministério, eu o teria obrigado a pedir demissão? Não o creio. Não sei como o país teria suportado os dois meses que faltavam, e além disso tinha tanta consciência do jeito tradicional do sr. Cotegipe que, não temo confessá-lo, receei que ainda dessa vez me enrodilhasse e não achasse eu meio de dar o golpe que julgava necessário".[17]

Em carta ao imperador, datada de 14 de março de 1888, a princesa desabafa: "Quanto ao Ministério [referia-se a Cotegipe], terá sabido pelos jornais o que houve. Os últimos tumultos muito me entristeceram. As minhas ideias divergiam das do Ministério, sentia que há tempos o governo perdia muita força moral, já alguma coisa nesse sentido dissera há várias semanas [...] minha declaração da perda da força moral e de que insistia pela demissão do chefe da polícia deu em resultado a queda do Ministério. Não me arrependo do que fiz. Mais tarde ou mais cedo o teria feito, confesso que uma surda irritação se apoderara de mim, e em consciência não devia continuar com um Ministério, quando eu por mim mesma sentia e estava convencida de que ele não preencheu as aspirações do país nas circunstâncias atuais. Deus me ajude, e que a questão da emancipação dê breve o último passo que tanto desejo ver chegar. Há muito a fazer, mas isso antes de tudo."[18]

João Alfredo Correia de Oliveira foi convocado pela princesa para chefiar o novo gabinete no dia 10 de março de 1888. Embora do mesmo partido conservador do Barão de Cotegipe, cultivava outro espírito em relação à questão da emancipação, além de já ter trabalhado ao lado da princesa em 1871, em sua primeira regência, quando haviam feito passar a Lei do Ventre Livre. Como se pode ver, a princesa tinha pressa, pois o tempo urgia, e as promessas e o compromisso que havia firmado com o pai, cuja saúde declinava a cada dia, não podiam mais esperar. O imperador havia posto tudo nas mãos dela; a Monarquia, agora, era ela. Estava em jogo também o futuro dos seus filhos, que haveriam de herdar o trono num futuro Quarto Reinado. A ansiedade da princesa era tamanha, que se em toda a história do Segundo Reinado a praxe era que o gabinete demitido indicasse o substituto, a princesa quebrou esse protocolo dispensando essa regra e indicando ela mesma o ministério substituto.

Em carta ao pai, informou que "quanto à escolha dos novos ministros, fui eu quem indicou o João Alfredo. Este foi quem escolheu os outros. Deixei-lhe toda a liberdade para que pudesse organizar o gabinete como fosse necessário, à vista da maioria parlamentar".[19]

Resolvido o problema que mais a afligia e que a atormentara ao longo de todo o recesso de fim de ano, removido o principal obstáculo que a impedia de seguir em frente, a princesa tirou um peso enorme dos ombros.

Concretamente, aquelas mudanças só se fariam sentir a partir do dia 3 de maio, quando se abrissem os trabalhos da Câmara e do Senado. Antes que esse dia chegasse, o negócio era se dedicar ao trabalho, e embora a princesa declarasse que se "passaram dias e semanas sem que ousasse perguntar ao Ministério o que faria relativamente à abolição, tendo já lhe feito sentir minha maneira de pensar", é extremamente improvável que, ao contrário do que afirma, a princesa não tivesse tomado para si a frente e a condução na elaboração do projeto de emancipação desde o início, e tivesse passado "dias e semanas" sem conversar a respeito com João Alfredo.

A contar pela ansiedade da princesa em se livrar de Cotegipe e armar o ministério de João Alfredo, as reuniões, discussões e articulações políticas em torno do projeto de emancipação deviam ter sido praticamente diárias, dia e noite.

Sobre esse aspecto nos dá uma pista o Conde D'Eu, que em carta ao imperador relata o atropelo com que a princesa encaminhava a questão: "O novo gabinete surge armado de prestígio [...] conta fazer votar a supressão imediata da escravidão. É passo, a meu ver, um tanto precipitado, mas a impaciência geral é tal que qualquer outra medida já não satisfaria a ninguém. Anuncia-se que o projeto será acompanhado de medidas rigorosas destinadas a satisfazer a lavoura, obrigando os libertos a residência fixa e a procurar ocupação. Infelizmente, parece-me, à vista da experiência, que não há que se fiar na execução de medidas dessa ordem, pois as que se consignaram na lei de 1871, e mais terminantemente na de 1885, são até hoje letra morta. Deve-se confiar na Providência, que até hoje tem protegido o Brasil, e na boa índole da gente."[20]

Percebe-se claramente que o conde se mostrava temerário com a pressa com que a esposa estava conduzindo, à frente do ministério, uma decisão muito delicada. Leitor de Maquiavel, o conde sabia que "devemos levar em conta que nada há de mais difícil, nem de sucesso mais duvidoso, nem mais arriscado, do que estabelecer novas leis. O novo legislador terá todos os beneficiados pela antiga legislação por inimigos, e contará com tímidos defensores entre os beneficiados pelas novas leis".[21] A inversão partidária de 1868 havia despertado o movimento republicano. Dessa nova investida do poder pessoal da Monarquia, o que viria?

Indiferente a tudo, obstinada por sua ideia e até mesmo intransigente, a princesa aguardava ansiosa o 3 de maio. Mas enquanto esse dia não chegava, ela seguia vivendo os melhores dias de sua vida. Já que o imperador havia abandonado o espetáculo e facultado para a atriz coadjuvante a deixa final na cena derradeira, um ato como aquele que seria tomado, revestido de extremo significado e importância, não poderia ser feito no improviso.

Foi assim que a princesa resolveu providenciar um ensaio geral, que se deu em 1º de abril de 1888, em Petrópolis. Nesse dia, segundo consta na ata da cerimônia, a princesa presidiria "a solenidade de entrega de 103 títulos de liberdade. A entrega foi feita pela princesa, auxiliada pelos pequenos príncipes [...] estiveram presentes o presidente do conselho, Conselheiro João Alfredo, o Ministro do Império, Conselheiro Costa Pereira, o Ministro da Agricultura e Obras Públicas, Conselheiro Rodrigo Silva, o corpo diplomático, Ramiz Galvão, José do Patrocínio e André Rebouças".[22]

Estavam, portanto, todos lá. Se a Princesa Isabel tinha alguma dúvida sobre a conveniência ou não de se levar adiante a ideia da emancipação, como talvez pudesse estar o Conde D'Eu receoso, essa dúvida foi imediatamente sanada. Feito o ensaio geral, era só esperar o dia e a hora para o encontro marcado.

No dia 3 de maio de 1888, na Fala do Trono, discurso tradicional que abria os trabalhos da Câmara e do Senado, onde o imperador expunha as principais questões que seriam propostas e avaliadas ao longo do ano, a Princesa Isabel não perdeu tempo. Expôs algumas preocupações corriqueiras, às quais os deputados e senadores deveriam se ater, e partiu logo para o que mais lhe interessava, a cereja do bolo. Sem delongas, disse que "a extinção do elemento servil, pelo influxo do pensamento nacional e das liberalidades individuais, em honra do Brasil, adiantou-se pacificamente de tal modo que é hoje aspiração aclamada por todas as classes, com admiráveis exemplos de abnegação da parte dos proprietários. Quando o próprio interesse privado vem espontaneamente colaborar para que o Brasil se desfaça da infeliz herança, que as necessidades da lavoura haviam mantido, confio que não hesitareis em apagar do direito pátrio a única exceção que nele figura em antagonismo com o espírito cristão e liberal das nossas instituições. Mediante providências [...] na transformação do trabalho, apressem pela imigração do povoamento do país, facilitem as comunicações, utilizem as terras devolutas, desenvolvam o crédito agrícola e aviventem a indústria nacional. Pode-se asseverar que a produção sempre crescente tomará forte impulso e nos habilitará a chegar mais regularmente aos nossos auspiciosos destinos. Augustos e digníssimos senhores representantes da nação, muito elevada é a missão que as circunstâncias atuais nos assinalam. Tenho fé que correspondereis ao que o Brasil espera de vós".[23]

Na Câmara, o projeto foi apresentado em 8 de maio, tendo sido votado e aprovado nos dias 9 e 10 por 89 votos a favor e apenas 9 contra. Ao Senado foi apresentado no dia 11 e debatido nos dias 11, 12 e 13 de maio, um fim de semana, sexta, sábado e domingo. No Senado, a questão iria encontrar um pouco mais de resistência, sobretudo porque o Barão de Cotegipe estava de volta àquela casa e, como era de esperar, colocaria pedras no caminho da princesa. Outro que procurou obstruir a votação foi o Conselheiro Paulino de Sousa, que no final do seu discurso acrescentou o seguinte comentário, ironizando o fato de que tanto a sua fala como a do Barão de Cotegipe seriam inúteis, pois já estavam vencidos: "É sabido, sr. presidente, e os jornais todos que li esta manhã anunciam, que Sua Alteza, a Sereníssima Princesa Imperial Regente, desceu hoje de Petrópolis e está a uma hora no Paço da Cidade, à espera da deputação desta casa para sancionar e mandar promulgar já a medida ainda há pouco por V. Ex. sujeita à deliberação do Senado. Cumpri, como as circunstâncias permitiram, o meu dever de senador, passo a cumprir o de cavalheiro, não fazendo esperar uma dama de tão alta hierarquia."[24]

A princesa de fato já aguardava no Paço o resultado da votação para sancionar imediatamente a lei. Naquela manhã de 13 de maio de 1888 a Princesa Isabel cumpriu todos os seus afazeres. Cuidou dos filhos, assuntou os empregados, palestrou com o Conde D'Eu. Não conseguia esconder a preocupação que sentia com a saúde do imperador, em viagem à Europa. O imperador, do outro lado do oceano, lutava pela vida vagando de estação em estação termal. Sabia que aquele seria um grande dia para a filha, e embora tenha aguardado serenamente para receber a melhor notícia possível, a da libertação dos escravos, não se tenha dúvidas de que estaria extremamente mais tranquilo, como sempre ficou, se ainda pudesse contar com a tutela do Duque de Caxias naquele tão importante momento.

Cotegipe foi um dos poucos senadores que votaram contra. Dizem que entre o barão e a princesa, senhora que tanto odiava, havia ocorrido o seguinte diálogo na cerimônia de assinatura da Lei Áurea, no Paço Imperial, horas depois da derrota no Senado: A princesa: "Então, sr. barão, ganhei ou não ganhei a partida?" O barão teria respondido: "A senhora ganhou a partida, mas perdeu o trono."

O RESSENTIMENTO DOS REPUBLICANOS

Os dois últimos anos da Monarquia, ao contrário do que se pode imaginar lendo os compêndios de história do Brasil, não foram de decadência nem de desespero com a doença do imperador e com a possível queda; ao contrário disso, a Monarquia, relativizando, vivia no melhor dos mundos. Não havia na sociedade carioca nenhuma revolta, nenhum descontentamento anormal que não fossem os contratempos cotidianos e a já antiga resistência dos oposicionistas, que se mantinha num nível tolerável.

A vida seguia no seu ritmo habitual e não haveria nenhuma mudança se dependesse do povo. A grande conspiração elaborada pelo imperador havia triunfado, e o Terceiro Reinado não era mais só uma perspectiva, era uma realidade. Faltava apenas formalizar a transição e havia no imperador essa disposição assim que retornasse ao Brasil.

A vitória retumbante da princesa despertou também o ressentimento de muita gente, como não poderia ser diferente, sobretudo dos fazendeiros e dos republicanos, que aproveitaram as circunstâncias para retornar à ativa. Com a lei de 13 de maio, a princesa se havia antecipado a eles e auferido uma enorme popularidade perante as forças progressistas da sociedade. Essa força, composta por industriais, comerciantes, banqueiros, profissionais liberais etc., que formavam a nova elite brasileira, aplaudiu de pé o ato da princesa, que entrou no seu auge. Depois da Lei Áurea, o golpe final previsto na conspiração secular do imperador estava consolidado, e com essa tacada de mestre uma nova Monarquia se apresentava ao país, completamente sintonizada com o novo espírito do capitalismo liberal.

Mesmo com a volta do imperador, em 22 de agosto de 1888 — ainda que melhor de saúde em relação ao estado em que viajara mostrava claros sinais de senilidade e de decrepitude, embora lúcido —, quem seguia governando era a Princesa Isabel. O imperador, definitivamente, não reunia mais condições para tal, e a princesa sabia disso desde o momento em que o imperador partira para fazer seu tratamento na Europa, em 1887.

No início de 1888, depois de haverem constatado o estado precário do imperador, certamente haviam ordenado à princesa que rompesse de vez o dique e fizesse o que bem entendesse. Da forma que estava o Terceiro Reinado, não tinha a menor chance, o negócio era radicalizar com a abolição da escravidão e ver onde a coisa ia dar.

Somente então, com a retumbante vitória da Princesa Isabel e com a volta do imperador, despertando o consenso de que já não reunia mais condições de governar, é que um setor republicano da sociedade civil vai procurar unir-se com um setor descontente dos militares para articular um golpe.

A ala civil era composta por Quintino Bocaiúva, Benjamin Constant, Silva Jardim, entre outros; já na ala militar o objetivo se resumia a convencer o Marechal Deodoro, o homem mais respeitado pelos militares depois da morte de Caxias, em 1880, a participar do movimento antimonárquico.

Não demorou muito para que os republicanos entendessem a manobra da Monarquia. A irritação deve ter sido generalizada a partir do momento em que eles perceberam que foram vítimas de um golpe. Eles é que eram os revolucionários, eles é que destituiriam a Monarquia, proclamariam a República, incentivariam a indústria, o comércio, a imigração e libertariam os escravos.

Porém e somente quando... tudo isso fosse conveniente.

A antecipação da princesa e a apoderação dos projetos dos republicanos os lançaram num mar de ingenuidade. Logo eles, que se achavam tão modernos, foram traídos pelos seus próprios preconceitos de gênero. Eles jamais poderiam imaginar que uma mulher pudesse um dia estar à frente de uma conspiração tão maquiavélica.

Os republicanos brasileiros formavam a *intelligentsia* nacional e partilhavam da seguinte opinião, expressa em artigos publicados, entre outros, na *Gazeta da Tarde*, quando o assunto eram as regências ou o possível reinado da Princesa Isabel: "Em resumo, a Condessa D'Eu [Princesa Isabel] não parece talhada para ocupar o trono de um país onde a democracia se avoluma dia a dia. O reinado da princesa, com o seu séquito, será a desgraça para ela e sua família, desastre para a causa da liberdade e tremenda calamidade para o Brasil. O Palácio Isabel é foco permanente de conspiração, não contra o imperador, mas contra o progresso e o desenvolvimento de um povo nobre e cheio de legítimas aspirações. Só poderá reinar reacionariamente, e eu creio que o povo não se sujeitaria em caso algum a um governo de sacristão e de especulação."[25]

A fúria deve ter sido imensa, como se pode imaginar, por terem os republicanos sido levados no bico por um imperador decrépito e por uma princesa que, aos olhos deles, devia restringir-se aos seus afazeres domésticos.

O problema principal que os republicanos enfrentariam era o esforço de agregar as forças republicanas e antimonarquistas da nação. Apenas por esse meio é que poderiam fazer algo de concreto para conter o tsunami político desencadeado pela princesa numa canetada, ao abrir o dique e mandar às favas toda herança ibérica de que até então era caudatária, e por isso mesmo alvo das críticas dos republicanos. Mas havia um elemento primordial, sem o qual nada poderia ocorrer de fato: o apoio do Exército.

Mas o que fazer se o Marechal Deodoro não queria e por muitas vezes já havia se posicionado sobre o tema dizendo que pensaria no negócio da República apenas após a morte do imperador?

Somente a partir de outubro de 1889 é que se iniciam os contatos concretos entre os civis e os militares republicanos. O Marechal Deodoro ainda estava fora, a coisa toda se inicia com o Major Frederico Solon, sogro de Euclides da Cunha, e o Major Mena Barreto, que foram procurar Aristides Lobo no seu escritório para propor uma conspiração contra o Terceiro Reinado.

Segundo Quintino Bocaiúva, referindo-se a Solon, "nenhum foi mais abnegado, nenhum exerceu influência mais decisiva na proclamação da República do que ele".[26] Seria ele, aliás, o encarregado de levar ao imperador, em nome do governo provisório, a notícia da implantação do regime republicano e da deportação imediata da família imperial para a Europa.

As reuniões eram cada vez mais frequentes. Ora na casa de Aristides Lobo, ora na casa de Solon, onde se discutia, sobretudo, o papel dos civis e dos militares no golpe que, inicialmente, seria dado apenas contra o ministério do Visconde de Ouro Preto, que havia assumido a presidência do último Conselho de Ministros do Império, em 7 de junho de 1889. Aos militares foi delegada a função de arregimentar seus pares e persuadi-los a seguir a causa; aos civis foi delegada a função de conspirar contra o ministério e difamá-lo por meio de artigos publicados na imprensa.

Nas reuniões que se realizaram, mais tarde, na casa do Marechal Deodoro, jamais se tratou da derrubada da Monarquia, embora fosse essa desde o início a intenção de todos, civis e militares, e, sobretudo, de Quintino Bocaiúva e de Benjamin Constant. Como veremos, ambos ficariam responsáveis por introduzir e apresentar aos poucos o tema ao Marechal Deodoro, homeopaticamente, a fim de ir amaciando a carne do marechal e, ao final, convencê-lo inteiramente.

Mas o Marechal Deodoro era osso duro de roer e parecia irredutível na sua lealdade ao imperador. Seria preciso um ato ou um acontecimento muito grave para mudar a sua opinião. O pulo do gato dos republicanos para convencer o marechal viria da astúcia de Benjamin Constant, que ao infiltrar um informante no convívio do imperador pretendia captar lá uma informação preciosa qualquer que pudesse ser transformada numa bomba atômica, que, como veremos, de fato ocorreu.

As reuniões iam-se sucedendo. De um lado os civis e de outro os militares. No dia 5 de outubro de 1889, Solon resolve conversar com o Marechal Deodoro a fim de sondá-lo e reporta mais tarde a Benjamin Constant a sua posição, ou seja, a de que "não acreditava muito que ele — Deodoro — estivesse, de fato, disposto a acabar com a Monarquia, pois seria ir de encontro não somente aos seus sentimentos políticos, à sua aversão à República, como à dedicação, à veneração que continuava a ter pelo velho monarca, ainda porque as suas queixas não eram propriamente contra o regime, mas sim contra o Ministério".[27]

A posição de Deodoro minava os ânimos dos republicanos, mas não os desesperançava, pois sabiam que se de início a queda do ministério bastava, com o tempo ele consentiria também com a mudança de regime. Por ora, o mais importante era que o marechal estivesse do lado dos republicanos.

5

O BAILE NA ILHA FISCAL

o dia 15 de outubro de 1889, a princesa comemoraria as suas bodas de prata, 25 anos de casada. Para isso, ela iniciou os preparativos de um baile. Estava particularmente feliz por esse motivo e pelo ano que tivera na regência do Império, repleto de conquistas. Obtivera a admiração de quase todos, o respeito de muitos e a autoconfiança que por anos havia sido o grande fantasma que a cercara.

Para comemorar uma sequência de importantes acontecimentos, começando pelas bodas da princesa, passando pela abolição da escravidão — que o imperador desejava desde a década de 1850 —, culminando no início triunfal do Terceiro Reinado, nos moldes que todos os interessados sonhavam, uma grande festa deveria ser realizada.

Mas toda essa comemoração, coroada com um baile magnânimo, que havia sido planejado pela Monarquia, não demorou muito para cair na boca do povo e chegar, consequentemente, aos ouvidos da oposição, republicana. A reação foi imediata. Diante da seca que havia castigado a região Nordeste nos anos anteriores, a festa e o baile que estavam programados foram tachados de verdadeiros absurdos pela dimensão e pelo exagero dos recursos aplicados nesses eventos, sugeridos pelas notícias que não paravam de chegar.

Diante da repercussão negativa, era preciso arranjar um pretexto que não incendiasse os espíritos. Nesse momento, alguém lembrou ao imperador que o navio chileno *Almirante Cochrane* chegaria ao Brasil nos próximos dias. Maquiavélico, o imperador resolveu o seu problema. A homenagem ao navio chileno seria o pretexto para tão portentosa festa.

O *Almirante Cochrane* fundeou na Baía de Guanabara, vindo da Europa, no dia 11 de outubro de 1889. Saudou a Marinha brasileira com a salva habitual de 21 tiros de canhão. A salva de tiros era um ritual, na época, entre os navios que iam atracar em portos estrangeiros. Um sinal de que, ao descarregar munições, vinham em missão de paz.

Curiosamente, Lorde Cochrane esteve no Brasil em duas ocasiões importantes. Na Independência, quando pessoalmente coordenou a resistência brasileira contra os navios portugueses, e agora, na República, como nome de um navio que haveria de participar dos últimos sopros da Monarquia no Brasil.

Ficou definido então que em recepção ao navio chileno, no dia 19 de outubro de 1889, a Monarquia brasileira ofereceria uma grande festa e um baile na Ilha Fiscal. Era preciso desfazer a impressão de que o baile seria para comemorar as vitórias da Monarquia e criar o consenso de que era preciso prestar homenagem ao mais importante navio chileno, de uma nação amiga, que tantos favores havia prestado ao Brasil. Não demorou para que a máquina do imperador começasse a girar suas engrenagens no sentido de passar um verniz, que disfarçasse o verdadeiro motivo e significado do baile.

Por aqueles dias, o *Jornal do Commercio* iniciou a propaganda oficial do baile publicando uma bela reportagem que anunciava: "O espetáculo de gala que a imprensa fluminense vai oferecer à oficialidade do couraçado chileno *Almirante Cochrane* realizar-se-á no Imperial Teatro S. Pedro de Alcântara e será dividido em três partes. A primeira constará de um concerto organizado pelo notável e estimado maestro José Silvestre White [não por acaso um músico negro, cubano], que, a pedido da comissão encarregada do espetáculo, se presta a abrilhantar essa festa. As segunda e terceira partes serão preenchidas pelas companhias do Teatro Santana e a distinta atriz Emilia Adelaide. A orquestra do concerto está confiada ao conhecido professor Domingos Machado, que, logo depois da saudação feita à República do Chile, na pessoa dos seus oficiais, executará o hino chileno. O teatro achar-se-á enfeitado e decorado convenientemente, sendo toda a primeira ordem, onde se acha a tribuna imperial, ocupada pelo grupo diplomático, ministérios, clubes militar e naval. Duas bandas de música tocarão nos intervalos, uma no terraço e outra no saguão do teatro."[28]

Estava tudo preparado para que a festa se realizasse no dia 19 de outubro; no entanto, no dia 17, na antevéspera, algo inesperado ocorreu. Nesse dia o Visconde de Ouro Preto recebeu uma correspondência vinda de Portugal dando notícias de que o Rei D. Luís I, aquele mesmo que havia sido o primeiro pretendente para se casar com a Princesa Isabel, encontrava-se entre a vida e a morte. No mesmo dia Ouro Preto comunica o fato, por carta, ao imperador, argumentando: "Infelizmente é de recear que de um momento para outro chegue-nos a notícia do falecimento do rei de Portugal. Se o dia 19, marcado para o baile oferecido aos chilenos, não fosse de gala nacional, dada aquela eventualidade, eu não teria nenhuma dúvida em adiar semelhante demonstração de regozijo [...] querendo acertar, peço respeitosamente as ordens de V. M. I. para o caso, que permita Deus que não se realize."[29] Temendo o pior, o baile foi acertadamente transferido para o dia 9 de novembro de 1889, pois o príncipe, que não andava bem, de fato morreria justamente no dia 19 de outubro.

Cancelada a festa, a organização do baile teve que, de última hora, refazer todo um planejamento para transferi-lo do dia 19 de outubro para 9 de novembro. Eram toneladas de comida e bebida que seriam praticamente lançadas ao lixo com o adiamento, fora a decoração de nada menos que seis salões ricamente ornados com guirlandas de flores, que teriam que ser inteiramente refeitas na véspera do dia 9. Se o baile já vinha sendo criticado, imaginem agora com o cancelamento e com o desperdício.

Irônica, não escapou à *Revista Illustrada* o esbanjamento da Monarquia, que publicou no dia 2 de novembro de 1889 a seguinte reportagem: "O baile da Ilha Fiscal promete, apesar de vir um pouco requentado. Continua-se a não saber por conta de quem corre a despesa, se por nossa conta, como contribuintes, se por conta do Visconde de Ouro Preto, que faz os convites... só aos amigos."[30]

O convite, embora o baile tenha sido adiado, continuou o mesmo. Impresso em papel creme com letras douradas, onde se podia ler: "A 19 de outubro do corrente ano realizar-se-á na Ilha Fiscal o baile oferecido aos oficiais do encouraçado chileno *Almirante Cochrane*, atualmente surto em nosso porto. O Presidente do Conselho de Ministros, Visconde de Ouro Preto, muito penhorado ficará a V. Ex. e sua Exa. Família se se dignar de abrilhantar aquela festa com sua presença. Rio de Janeiro, 12 de outubro de 1889."[31]

Como se pode ver, o pretexto da festa ficou mesmo restrito a homenagear a presença do navio chileno; nem nos convites, que eram reservados, citavam-se as bodas da princesa ou qualquer outra comemoração dos louros colhidos pela Monarquia naqueles anos. O imperador sabia que prudência e canja não fazem mal a ninguém.

O baile em si foi um espetáculo de luzes, odores, sabores e tudo o mais que se possa imaginar. Reuniram-se à família imperial os membros do governo e do corpo diplomático estrangeiro, as altas patentes do Exército que compunham os quadros do governo, o alto funcionalismo do Estado, a burguesia comercial e industrial carioca, além de profissionais liberais. Cerca de 5 mil pessoas participaram. Também não poderia ser diferente, o baile foi organizado para marcar uma época, e os números não deixam dúvidas.

A verdade, todos no fundo sabiam, era que o baile celebrava, além das bodas da princesa, o sucesso da Monarquia em ter-se livrado de forma definitiva da escravidão. A homenagem ao navio chileno era mero pretexto para não alardear o espírito dos republicanos.

O que é uma festa? Uma festa só é organizada para comemorar uma vitória, um bom momento, nunca uma derrota. O baile na Ilha Fiscal é o auge da Monarquia no Brasil, é a festa de transição do segundo para o Terceiro Reinado. Foi uma sonda que o imperador lançou para ter certeza da profundidade da aceitação da Princesa Isabel entre a classe média e a burguesia do Império. E o sucesso estrondoso do baile não deixou dúvidas. A resposta da sociedade carioca à sondagem do imperador foi uma espécie de pacto que firmaram: estamos com vocês.

Foi um termômetro, mas não para medir a popularidade da Princesa Isabel e do Conde D'Eu entre essas classes abastadas, pois era notório que ambos eram muito queridos e admirados. O baile cumpriria o papel de impressionar os outros, a oposição. O recado contido nas entrelinhas era o de que, embora a classe que havia sustentado até então a Monarquia tivesse passado para o lado da oposição, nem por isso ela (a Monarquia) se encontrava enfraquecida; pelo contrário, havia todo um vigor novo, um direcionamento novo, que lhe dava fôlego e sobrevida e respaldava com folga o advento do Terceiro Reinado.

Na festa, portanto, já não foram os falidos e enfurecidos fazendeiros escravistas, que antes formavam a elite do país e eram figuras carimbadas nas festas e nos bailes. Eles haviam sido substituídos por uma outra classe social, composta por comerciantes e industriais, que tomaram aos poucos o lugar da velha elite brasileira.

Esse era o mundo novo que surgia e que a Monarquia queria cortejar e para o qual faria qualquer concessão. Não se podia diferenciar naquele momento quem bajulava quem, dava-se a junção perfeita da fome com a vontade de comer.

O verdadeiro significado do baile na Ilha Fiscal foi, portanto, o de cortejar essa classe nova, os novos-ricos que estavam carentes da tutela e dos mimos da Monarquia. Gente que com certeza — uma vez tendo os seus anseios reconhecidos, incluídos aqui títulos honoríficos etc. — estaria incondicionalmente ao lado da Monarquia nessa transição que se fazia a olhos vistos do segundo para o Terceiro Reinado.

Para eles, ao contrário dos velhos fazendeiros e dos republicanos, a Princesa Isabel era muito mais moderna e palatável do que o velho imperador. A Princesa Isabel era a locomotiva desse mundo novo que lutava por vir à luz.

6

A REUNIÃO DO CLUBE NAVAL

A verdade é que até 9 de novembro de 1889 ninguém havia ainda convencido o Marechal Deodoro da necessidade da troca do regime monárquico pelo republicano. O marechal não cedera nem um milímetro sequer aos seus aliciadores, vendo apenas a necessidade da deposição do Ministério Ouro Preto. Para isso podiam contar com ele.

Ora Solon, ora Benjamin, ora outros militares, sempre que tinham a oportunidade de se reunir com o marechal, coisa rara, procuravam ir aos poucos minando o monólito que eram as suas convicções. Seria preciso, realmente, o tal fato novo e imponderável que só um homem perspicaz como Benjamin seria capaz de fabricar ou multiplicar, a ponto de dar a esse fato uma dimensão que não tinha.

Nesse dia 9, como vimos, a Monarquia celebrava no inesquecível baile na Ilha Fiscal o sucesso da conspiração do imperador e a sua consequência imediata: o início triunfante do Terceiro Reinado. Aos republicanos restava o desafio de tentar responder à altura a comemoração provocadora da Monarquia.

As minguadas reuniões entre civis e o baixo clero dos militares já não assustavam ninguém e não eram uma novidade. Eis que Benjamin teve a única ideia possível para assustar um pouco a Monarquia, que era a presença do Marechal Deodoro numa dessas reuniões, que também deveriam sair do âmbito das residências privadas e ir para um lugar simbólico.

Se alguma água pudesse respingar no chope da Monarquia naquela noite, essa água seria a presença do Marechal Deodoro em determinada reunião ou manifestação que fizesse minimamente algum barulho.

O mais indicado, portanto, seria uma reunião no Clube Militar; sendo o marechal o presidente do clube, os republicanos imaginavam que pudessem com isso botar uma pulga atrás da orelha da Monarquia, que, como vimos, não parecia estar muito preocupada com o movimento da oposição.

Depois de muito desdobrar-se, Benjamin conseguiu o consentimento do marechal para que a reunião se realizasse no clube, com a ressalva de que nada de mais ocorresse que pudesse despertar a atenção das autoridades públicas, ou seja, nenhuma manifestação, passeata ou qualquer ato hostil ao governo. O detalhe é que o marechal liberou a reunião no Clube Militar, mas não compareceu. Um gesto sintomático de sua posição até aquele momento.

Segundo a ata oficial, compareceram na reunião do Clube Militar 116 sócios. Benjamin, como não poderia deixar de ser, foi quem a presidiu e procurou inflamar os militares com frases do tipo: "Maus instintos do governo e o estado de coisas tão lastimável a que a política dos homens sem critério levava o país." Em outro momento, falou em "tirar a classe militar de um estado de coisas incompatível com a sua honra e dignidade".[32]

O objetivo da reunião era, sem dúvida, além de afrontar o baile na Ilha Fiscal e a celebração da Monarquia, apresentar Benjamin

Constant aos militares como o senhor da guerra, o homem que armaria toda a logística do golpe, o mentor intelectual, o preposto do Marechal Deodoro. E no encerramento da reunião, para inflamar ainda mais os espíritos, declarou que "abandonaria os meios legais e a sua calma habitual, assim como desprezaria o que ele tinha de mais sagrado, o amor à família, para ir morrer na praça pública, combatendo em prol da mudança de direção de uma política caduca, política de homens completamente ignorantes e sem patriotismo algum".[33]

Quase todos os militares pareciam, nessa altura, estar de acordo com o golpe, que, no entendimento de muitos, ficaria restrito à queda do Ministério Ouro Preto. Havia, no entanto, dois quadros das forças militares que ocupavam cargos de confiança no governo e cujos apoios seria fundamental angariar. O problema é que naquele exato momento da reunião esses homens tão importantes para os rumos da conspiração republicana se encontravam num local diametralmente oposto àquele, ou seja, estavam justamente no baile na Ilha Fiscal. Tratava-se do Ministro da Guerra Rufino Enéias Gustavo Galvão, o Visconde de Maracaju, e do mais importante quadro das forças militares brasileiras junto com o Marechal Deodoro, o Marechal Floriano Peixoto, que ocupava relevantíssimo cargo do Império nesse campo, o de ajudante-geral do Exército.

Estes três senhores — Galvão, Deodoro e Floriano — eram pessoas-chave. O apoio deles à Monarquia seria suficiente para melar os planos dos republicanos. Esperava-se que o Marechal Deodoro os convencesse, se não a participar ativamente, ao menos de fazer vista grossa para a situação.

Como se pode ver, Benjamin era a vertente de toda a conspiração, e o seu trabalho em prol da causa republicana, que era a supressão da Monarquia, não seria tarefa fácil. Tratava-se simplesmente de convencer e cooptar para a causa os homens mais importantes e poderosos do país. Com o apoio deles, a revolução (ou o golpe) seria mais fácil do que roubar doce das mãos de uma criança.

Para se ter uma ideia, somente depois de Benjamin muito insistir é que o Marechal Deodoro consentiu em se reunir com as forças republicanas civis para discutir os passos do golpe contra o ministério. A reunião foi marcada para a noite de 11 de novembro, na casa de Deodoro, e seria a primeira vez que Quintino Bocaiúva e Aristides Lobo — Benjamin havia convencido Rui Barbosa a aparecer também — seriam recebidos pelo marechal desde o início da conspiração. Até então, Deodoro só havia tratado da questão com militares. Revela o próprio Benjamin, em suas memórias sobre o 15 de Novembro, muitos anos depois, que a recepção de Deodoro havia sido muito fria; ele chegou a usar a expressão "frieza glacial". Depois de apresentados a ele os civis republicanos, "o marechal conservou-se calado por muito tempo, deixando a todos em torturante constrangimento".[34]

Na reunião, procurou-se discutir uma possível data para o golpe. Os mais radicais queriam que fosse marcado para o dia 16 de novembro, no dia da festa que a Princesa Isabel daria em sua casa, ocasião em que poderia ser presa de uma só vez toda a cúpula política do Império e, de quebra, a família imperial. Os menos exaltados sugeriram o dia 20 de novembro, dia da abertura da Assembleia Geral, no Paço do Senado, quando as tropas rebeldes poderiam cercar o local e prender todo o corpo político do Império.

Com o nome do imperador, da sua família e da Monarquia atravessando em várias ocasiões as discussões e com a nebulosidade que em torno do assunto se formava, a certa altura da reunião Benjamin entrou no assunto com o marechal sobre a questão que mais afligia a todos: estender a queda do ministério à Monarquia e instituir a República. O marechal ficou pensativo, olhando no fundo dos olhos daqueles jovens idealistas, e sabe-se lá no que estava pensando.

UMA CRONOLOGIA SUMÁRIA DO GOLPE

O baile na Ilha Fiscal foi o divisor de águas na história da Monarquia e na história dos republicanos. As sondas que foram lançadas no mar tempestuoso daqueles dias reportaram duas realidades diametralmente opostas. A primeira dessas sondas, lançada pela Monarquia, reportou o melhor dos mundos possível. A burguesia havia aderido em massa ao projeto desenhado pela Princesa Isabel para o Terceiro Reinado, exposto na Fala do Trono em 1887 e coroado com o baile na Ilha Fiscal. A outra sonda, lançada pelos republicanos, reportou o quadro de uma situação constrangedora: haviam sido devorados pelas circunstâncias.

Os republicanos foram pegos de calça curta com a astúcia da princesa em romper o dique diante da impossibilidade de o imperador prosseguir reinando. A única barreira possível que podia conter esse tsunami era um golpe de Estado que instituísse a República. Não havia tempo a perder, pois a semente plantada pela Monarquia germinava velozmente e começava a enraizar-se.

Por meio de uma cronologia sumária do golpe, é possível mapear o terreno onde os republicanos se moveram, a pressa que tinham em se articular e o itinerário que seguiram na busca de seus objetivos.

11 de novembro de 1889:
A mania de perseguição do chefe Basson

Além da reunião na casa de Deodoro, muitas outras articulações ocorreram ao longo de todo o dia 11 de novembro de 1889. É evidente que a agitação na Corte envolvendo republicanos declarados, tanto civis como militares, despertou a atenção do governo. Ouro Preto e o imperador estavam com as antenas ligadas. Desde o 13 de Maio de 1888 que a coisa andava quieta demais, nenhuma reação à Lei Áurea tinha aparecido de forma mais contundente. Nessas ocasiões, o silêncio às vezes pode ser mais perigoso do que o barulho.

Para sondar se havia algo ocorrendo e de que coisa se tratava ficou encarregado o chefe da polícia da Corte, o Conselheiro José Basson de Miranda Osório, que já no dia 9, dia do baile na Ilha Fiscal, havia renunciado ao seu convite para ficar assuntando o que se passava no Clube Militar, onde ocorria a reunião dos militares.

Na mesma noite, segundo o seu depoimento, seus informantes, que estavam infiltrados na reunião, "vieram tranquilizar-me, dizendo que o batalhão embarcaria no dia seguinte, visto que não tinham podido organizar nenhuma resistência".[35] Ouro Preto havia ordenado o embarque de um batalhão de infantaria para o Amazonas e temia-se que os soldados se recusassem ao embarque, e o chefe Basson imaginava que tal resistência estivesse sendo tramada na reunião.

Basson passou todos aqueles dias antenado, seguindo de perto sobretudo os passos de Benjamin Constant. O seu único vacilo se deu no dia 10, quando, numa reunião na casa do Major Antonio José do Espírito Santo, Benjamin e Solon conseguiram cooptar o

General Almeida Barreto para a causa republicana. Basson devia estar dormindo naquela noite, já que havia passado toda a madrugada do dia 9 para o dia 10 acordado, firme e forte na sua função de vigiar tudo que se passava na cidade, como um cão de guarda, enquanto na Ilha Fiscal a Monarquia se revigorava.

Se não tivesse dormido mais cedo nessa noite, Basson certamente teria visto, em suas diligências pela cidade, o General Almeida Barreto participar da reunião desse dia 10 e certamente teria dissuadido o Ministro Ouro Preto da ideia de conferir logo a ele, no fatídico dia 15, uma brigada improvisada para resistir à sublevação militar, "missão que Almeida Barreto se apressou em aceitar com o propósito deliberado de trair o governo".[36]

No dia 11, o dia da reunião entre os militares e civis, Basson e seus homens andaram como uns exasperados na cola das principais figuras republicanas. Numa diligência fortuita nos arredores do bairro da Lapa, Basson estranhou a atitude de um sujeito que visivelmente parecia esconder-se por detrás de um casaco e debaixo de um chapéu. Era Rui Barbosa, que — ao ser seguido, descobriu-se — ia reunir-se com os demais na casa de Deodoro. "Esse fato", depôs Basson mais tarde, "me fez crer nas suspeitas de qualquer plano sedicioso, visto como esse jornalista vinha constantemente excitando o Exército contra o governo."[37]

Ato contínuo, o chefe da polícia correu para a casa do Marechal Floriano Peixoto, o ajudante-geral do Exército, para relatar toda a estranha movimentação que presenciara na cidade. Fez isso porque, enquanto as reuniões estavam restritas aos civis republicanos, de um lado, e os militares, de outro, nenhuma novidade. Agora todos juntos, ainda na casa de Deodoro, alguma coisa grave estava acontecendo por aí e o alto escalão do governo devia ser informado sem demora.

Avisado, a princípio Floriano disse não crer "em plano ou pensamento do Exército com unidade de vistas para um movimento qualquer".[38] Foi então que Basson sacou uma carta anônima que havia sido encaminhada naquela tarde a Ouro Preto informando-lhe que as forças militares já se encontravam em armas, aliás, com a anuência dele, Floriano.

O clima ficou tenso na sala da casa de Floriano; no fim das contas, o chefe da polícia acabava de relatar a descoberta da possível traição do marechal ao governo. Diz-se que Floriano, no entanto, mesmo diante da gravidade da acusação, não demonstrou o menor nervosismo. Manteve a fleuma e se resumiu a admitir que "o caso é mais sério do que suponho".

Os homens andavam misteriosos demais naqueles dias. Outro episódio, ocorrido no dia seguinte, 12 de novembro, levou Basson a fazer uma autoanálise e pensar se não havia ele desenvolvido uma mania de perseguição por estar vendo conspiração em toda parte. As suas desconfianças sobre si mesmo aumentaram quando, em meio à enxurrada de informações conspiratórias que chegaram a seus ouvidos, tais como o aquartelamento de regimentos e brigadas, que amolavam espadas e carregavam carabinas, ele foi alertar o comandante da polícia, o Coronel Andrade Pinto. Recebeu como resposta uma frase apressada e quase hostil dizendo que não se passava nada daquilo, a menos que "estivessem loucos".

Na madrugada do dia 15, no entanto, o descaso do Coronel Andrade Pinto com as notícias trazidas por Basson faria todo o sentido. Uma vez que o coronel, "comandando um corpo de polícia numeroso e bem-adestrado, equivalia, pelo menos em número, a quase que todas as unidades do Exército aquarteladas na Corte, o concurso dessa tropa era considerado imprescindível para a defesa do governo [...] sua defecção na manhã de 15 de novembro seria assim um dos fatores que mais contribuíram para a queda do Ministério".[39]

13 de novembro de 1889: o Marechal Floriano Peixoto é cooptado e trai o ministério

Se o chefe Basson tivesse passado na frente da casa de Deodoro no início da manhã do dia 13 de novembro, provavelmente se arrepiaria todo, como um gato diante do espelho. É que veria saindo de lá ninguém mais, ninguém menos que Floriano Peixoto. Poucas horas antes, o Capitão Hermes da Fonseca, sobrinho de Deodoro, havia madrugado em frente à casa de Floriano, era seu vizinho, para entregar a ele o recado urgentíssimo de que era portador: Deodoro queria falar com ele o quanto antes. Depois de pouco diálogo e uma tentativa de esquivar-se, Floriano cedeu: "Está bem, vou já", teria dito.

Floriano e Deodoro eram amigos de longa data e desde a reunião do dia 11 de novembro com os civis Deodoro havia praticamente imposto como condição para o golpe a anuência de Floriano. Claro, ele era parte do ministério. O golpe, embora os elementos civis estivessem engajados, era, para Deodoro, um ato em defesa dos brios da classe militar. Desse modo Deodoro não usou meias palavras com Floriano e foi direto ao assunto, dizendo que por causa do "profundo descontentamento que reinava nas forças armadas do Exército pelos atos de perseguição, de ofensa e de violência praticados pelos poderes públicos contra a classe militar"[40] ele havia tomado a iniciativa de conspirar contra o ministério e faria, em breve, uma marcha armada a fim de derrubá-lo.

Há, como é natural, uma pequena controvérsia a respeito da posição de Floriano. Dizem uns que ele havia tentado contemporizar o problema e se colocado como intermediário entre Ouro Preto e Deodoro para um diálogo. Relatam outros que a adesão de Floriano ao movimento havia sido instantânea, tendo dito ao Marechal Deodoro que "se a coisa era contra os casacas [os civis], ele sempre tinha em casa uma espingarda velha".

O certo é que, tendo aderido ou não desde a primeira hora ao movimento, Floriano havia saído da casa do Marechal Deodoro sabendo que em breve haveria um golpe contra o ministério. A sua obrigação como ajudante-geral do Exército e funcionário de confiança do ministério era ter alertado imediatamente o ministério para que este se acautelasse. Podia ter ordenado, inclusive, a prisão de Deodoro. No entanto, o máximo que ele se permitiu fazer foi enviar a seguinte carta ao ministro da Guerra, Conselheiro Cândido Oliveira: "Rio, 13 de novembro de 1889. Exmo. amigo Sr. Conselheiro, a esta hora deve V. Ex. ter conhecimento de que tramam algo por aí. Não dê importância. Tanto quanto seria preciso, confie na lealdade dos chefes, que já estão alertas."[41]

Para um bom entendedor, essas palavras bastam para poder imaginar que a adesão de Floriano ao golpe contra o ministério havia sido total e imediata. O conselho dado ao ministro da Guerra, "tramam algo por aí. Não dê importância", serve, no mínimo, para cumprir um papel decisivo na conspiração, ou seja, induzir o ministério ao erro de imaginar que nada de preocupante se passava, quando a água já estava fervendo.

14 DE NOVEMBRO: LOBO NÃO COME LOBO

No meio da tarde, a carta de Floriano gera preocupação em Ouro Preto, que convoca o ministro da Guerra para uma conversa, desconfiado, já a essa altura dos acontecimentos, de que Deodoro estava metido com os conspiradores. Maracaju lhe garante que pode até estar ocorrendo alguma insatisfação aqui e acolá no meio militar contra o ministério, mas que não acreditava que "a ordem pública seria alterada", e se ocorresse algo também mais grave, com algum incidente envolvendo o uso de armas etc. da parte do governo, "sobrariam elementos de repressão".

Ao dizer isso, o ministro contava, evidentemente, se fosse necessário, com a brigada comandada pelo seu irmão, Antonio Enéias Gustavo Galvão, o Barão do Rio Apa, que assim como Floriano estava também vendido ao movimento dos militares e que dali a algumas horas, na manhã do dia 15 de novembro, não moveria um gesto no sentido de insuflar seu batalhão contra os militares revoltosos. Como se sabe, e o Ministro Ouro Preto, se não sabia, iria descobrir também dali a umas horas, lobo não come lobo.

O Ministério Ouro Preto deu ao ministro da Guerra três ordens: primeiro, ele deveria procurar Deodoro e tirar a limpo toda aquela história, tarefa que incluía prestar um serviço a este, que se encontrava doente, alertando-o de que o seu nome estava sendo usado indevidamente para incitar os militares contra o ministério. Segundo, ele deveria ir à casa de Floriano pedir maiores esclarecimentos sobre a carta que ele havia enviado ao Conselheiro Cândido Oliveira. Terceiro, dar a Floriano o recado de que fosse à casa dele (Ouro Preto) à noite para tratar do mesmo assunto.

O ministro cumpriria o seu roteiro apenas em parte, ou seja, não foi à casa de Deodoro. Procurou Floriano e recebeu deste uma declaração preocupante: "Estamos sobre um vulcão." Foi inclusive informado, com todas as letras, da participação atuante de Deodoro em tudo, ao contrário do que Ouro Preto imaginava. Devem ter conversado bastante sobre o assunto — tratava-se das duas maiores autoridades do país no campo da segurança — e certamente ouviu de Floriano a confissão de que o Ministério Ouro Preto não esperasse que ele tomasse alguma atitude contra os seus pares (os militares). Assim como Maracaju deve ter dito a Floriano que a solução do problema passava, portanto, única e exclusivamente, pela prisão de Deodoro. Quanto ao convite transferido a Floriano para que fosse à noite à casa de Ouro Preto, se não respondeu ali prontamente a Maracaju que não ia, ao menos pensou, e isso já estava decidido, como realmente não compareceria mesmo naquela noite.

De fato, Maracaju estava certo, para desestabilizar os revoltosos ou para resfriar o vulcão bastava ter tomado algumas atitudes enérgicas naquela tarde de 14 de novembro de 1889. Já que agora tinha a certeza de que Deodoro estava metido numa conspiração contra o ministério, e isso significava que estava envolvida também boa parte dos militares, "era muito possível que a prisão deste [de Deodoro], àquela altura, e de uns poucos oficiais que conspiravam com ele, Benjamin Constant, entre outros, que se tivesse podido sustar o golpe de Estado".[42]

Mas, antes que Maracaju pudesse agir, Floriano agiu.

Havia lançado toda a coisa no ventilador e temia que o desdobramento que dali surgisse acabasse por colocá-lo na condição de traidor de seus pares, por ter tido conversa franca com Maracaju e revelado até as intenções e os nomes dos participantes do movimento golpista.

Mal saiu o Ministro Maracaju por uma porta, Floriano saiu pela outra e partiu apressado em direção à Secretaria da Guerra, ao mesmo tempo que enviou um emissário em busca de Solon com um recado urgente para que fosse procurá-lo o quanto antes.

Floriano estava ansioso, sem saber o que tramavam do outro lado. Havia ele agora rompido o dique, a água descia veloz o morro e a qualquer momento inundaria tudo. A sua ansiedade decorria sobretudo da atitude de Maracaju diante de suas revelações e diante de sua debandada para o lado dos revoltosos. Teria Maracaju procurado imediatamente Ouro Preto? Haviam se decidido pela prisão de Deodoro? Iriam prendê-lo também? Havia mesmo uma unidade de visão nas forças armadas em torno do golpe ou na hora H a história seria outra? Floriano estava nessa agonia quando Solon entrou na sala.

Solon havia passado boa parte daquela mesma tarde em conferência com Benjamin Constant, procurando definir justamente a data e a forma de convencer Deodoro a dar o pontapé inicial no jogo do golpe; o resto da partida eles comandariam. Faltava um fato, um motivo, uma centelha.

A anuência ao golpe da parte do marechal estava assegurada, de modo que a convocação para uma reunião com Floriano era, para Solon, apenas mais uma reunião corriqueira, se tanto, com um ou outro fato novo, de modo que chegou lá sem muito entusiasmo. Mal sabia que naquela conversa com Floriano, que julgava despretensiosa, Solon ganharia de bandeja aquilo tudo que procurou ao longo do dia: o motivo, a centelha. Para um incendiário que tinha uma enorme quantidade de combustível em mãos, era tudo (ou só) o que ele precisava.

O incendiário da Rua do Ouvidor e a manhã de 15 de novembro de 1889

Chegando na sede do Ministério da Guerra, no Campo de Santana, Floriano foi informado de algumas providências que seriam tomadas em relação aos problemas que estavam na iminência de ocorrer. Foi justamente sabendo que algo já havia sido feito e por causa dessas informações privilegiadas que mandou chamar Solon e lhe deu duas notícias bombásticas: a primeira é que haviam ordenado o aquartelamento do IX Batalhão de Cavalaria e do II de Artilharia, na Praia Vermelha, justamente aqueles que se mostravam mais hostis ao governo. A segunda notícia era a de que a prisão de Deodoro estava na iminência de ocorrer nas próximas horas. Havia, enfim, se iniciado a reação do governo contra o projetado levante dos militares.

O golpe se inicia aqui, no momento em que Floriano antecipa para o Major Frederico Solon as decisões e as providências que seriam tomadas pelo Ministério Ouro Preto. Saindo da reunião com a centelha que lhe faltava, Solon foi acendendo os rastilhos de pólvora que já estavam espalhados pela cidade desde o início da conspiração dos republicanos contra a Monarquia. A notícia da reação do ministério, sobretudo a da prisão de Deodoro, fez com que a revolta explodisse onde quer que a notícia fosse chegando.

Quando Deodoro e Benjamin receberam a notícia, os batalhões já estavam afiando as baionetas, municiando suas armas e se colocando de prontidão, aguardando apenas a autorização e o chamado de seus comandantes para ganhar as ruas e marchar com o intuito de derrubar o ministério. Os comandantes aguardavam apenas, para tanto, a anuência de Deodoro, que, enfermo, na cama, procurava reunir forças para assumir a frente da batalha. Encontrava-se tão doente que Benjamin, que havia estado com ele pouco tempo antes, declarou a Aristides Lobo e a Francisco Glicério: "Creio que não amanhece, e se ele morrer, a revolução está gorada. Os senhores são civis, podem salvar-se; nós, militares, arrostaremos as consequências das nossas responsabilidades."[43]

Avisado, o Ministro Ouro Preto organizou a resistência armada junto com Maracaju e Floriano e foi no início da madrugada de 15 de novembro se aquartelar no quartel-general. Essa resistência que o ministro julgava ter, no entanto, nada faria para proteger o ministério quando o Marechal Deodoro, praticamente ressuscitado, e os batalhões que o seguiam chegassem às portas do quartel-general e, ao contrário, franqueariam a sua entrada num gesto claro de apoio ao golpe. Da janela, esperando uma resistência ainda que mínima diante daquele quadro de passividade generalizada, o Ministro Ouro Preto percebeu-se preso numa verdadeira ratoeira e que tudo estava inexoravelmente perdido.

O imperador e a Princesa Isabel já haviam sido avisados de que parte das forças armadas estava em armas. Mas o imperador, na sua calma irritante, só desceria de Petrópolis, onde a família se encontrava toda reunida, no outro dia — 15 de novembro de 1889 —, quando o Ministério Ouro Preto já teria sido deposto.

Logo o imperador que havia sido cuidadoso durante todo o seu reinado tinha esquecido do ensinamento de Maquiavel: "Quando se está presente, veem-se originar as desordens e pode-se rapidamente remediá-las; do contrário, dessas desordens só se saberá quando nenhum remédio mais houver."[44]

O MINISTÉRIO NO COVIL DOS LOBOS

mbora ameaçado de prisão e sabendo que os batalhões se articulavam e estavam de prontidão, o Marechal Deodoro manteve-se calmo e recluso em casa, pois encontrava-se gravemente doente. O disse me disse em torno da situação de Deodoro — se estava preso ou não — era uma dúvida conveniente e ajudou a pôr as tropas nas ruas. Mas não havia ainda muito entusiasmo, pois a verdade "é que ninguém sabia, até então, o que se iria encontrar pela frente e que espécie de reação teriam que enfrentar. Sabia-se ou presumia-se que havia forças governistas [...] mas nada se sabia ao certo que forças eram essas [...] e quais eram as suas disposições com relação à tropa sublevada que seguia ao seu encontro".[45] Somente os comandantes sabiam que a resistência armada pelo ministério era apenas um teatro, uma encenação.

O que mais se sentia, no entanto, era a ausência de Deodoro. Sem ele a insegurança era generalizada, tanto entre os soldados como entre os comandantes e, por isso, "a tropa marchava sob um ambiente morno, mais parecendo um préstito lutuoso do que uma unidade em defesa de um ideal. Os sons dos clarins que de espaço a espaço feriam os ares eram melancólicos e sem calor, e tudo denotava o pesar da ausência de alguém que devia dirigi-la".[46] Faltava o marechal.

O próprio Benjamin sentia a falta de um elemento de coesão entre os homens titubeantes. Mais tarde chegou a confessar que "se Deodoro não tivesse saído à rua no seu cavalo de guerra, a República não se teria feito".[47]

Como se pode ver, a presença de Deodoro era a condição *sine qua non*. Foi então que o segundo-tenente Lauro Muller, que depois do golpe seria nomeado por Deodoro governador do Estado de Santa Catarina, foi enviado por Benjamin à casa de Deodoro a fim de obter novas notícias sobre a sua saúde e verificar se ele realmente não tinha condições de estar à frente da marcha contra o governo. Um pouco melhor em relação à tarde, quando conversara com Benjamin, embora ainda muito enfraquecido, Deodoro inicialmente relutava em sair de casa e teria aconselhado Benjamin a procurar Floriano para que assumisse o comando da marcha, pois este seria, na sua ausência, o nome mais indicado para comandar as forças sublevadas. Isso seria impossível, porque, como vimos, Floriano estava no quartel-general, junto com o Ministro da Guerra Maracaju e com Ouro Preto.

Esse impasse se arrastou ao longo de toda a madrugada. Enfim, pouco antes de amanhecer, Deodoro se apresentou inesperadamente para comandar as tropas. Houve uma comoção geral por parte dos soldados e um sentimento de alívio por parte dos comandantes, que sabiam que com Deodoro encabeçando o movimento a vitória era certa.

Mas a situação geral do marechal não era boa, parecia um zumbi, um ressuscitado. O depoimento de um soldado não deixa dúvidas sobre esse aspecto: "Quando olhei para a figura do velho marechal, impressionou-me. Dir-se-ia um cadáver, profundamente pálido, olhos muito abertos, seu peito arfava."[48]

O sol nascia entre as belas paisagens do Rio de Janeiro quando Deodoro e o seu batalhão se postaram diante dos portões do quartel-general. A primeira palavra que dirigiu aos homens que guardavam a entrada foi de camaradagem: "Então, não me conhecem?" A figura daquele homem montado em seu cavalo, mítico, com toda a história que havia construído na Guerra do Paraguai, deve ter assombrado os jovens soldados ali presentes.

Anunciou que queria falar inicialmente com Floriano, antes de tudo. Ouro Preto esbravejou como resposta o seguinte: "Conversar, pois o Marechal Deodoro, não tendo recebido do governo nenhum comando militar, aqui se apresenta à força armada, em atitude hostil, e pretende conferenciar com o ajudante-geral do Exército? Em tais circunstâncias, não há conferência possível [...] mande o senhor [disse a Floriano] intimá-lo a que se retire e empregue a força para fazer cumprir essa ordem. Essa é a decisão do governo."[49]

Ouro Preto já havia estranhado e cobrado rispidamente Maracaju e Floriano sobre a facilidade com que o marechal e os seus homens haviam chegado e cercado o quartel-general, de modo que havia sobrado pouca margem para qualquer manobra de reação. Teria dito: "Por que deixaram que tomassem tais posições? Ignoravam isso? Não creio na impossibilidade senão diante dos fatos. No Paraguai, os nossos soldados se apoderavam da artilharia em bem piores condições."[50]

Ao que Floriano teria respondido, para o espanto e para a tomada de consciência do ministro da real situação em que se encontrava: "Sim, mas lá tinham em frente inimigos, e aqui somos todos brasileiros."[51]

Em suas memórias sobre o golpe, Ouro Preto confessou que "se ainda pudesse manter ilusões, elas se teriam dissipado ante essa frase de Floriano". Na época que assumiu o ministério, Ouro Preto não queria colocá-los (Floriano e Maracaju) como ministros. Havia sido aconselhado e convencido pelos seus pares, até mesmo pelo imperador, de que seria uma forma de minar um pouco a resistência e a insatisfação crescentes no meio militar. Foi assim então que havia convidado — a contragosto — para o Ministério da Guerra o Visconde de Maracaju, que era primo de Deodoro; para comandante da Marinha, convidou o Barão de Ladário, que era almirante, e para ajudante-geral do Exército, o General Floriano Peixoto.

Com esses homens ao seu lado, o ministro julgava-se intocável. Até aquela fatídica manhã de 15 de novembro de 1889, quando a ficha enfim caiu e o óbvio ululante então emergiu, ou seja, seria fatalmente traído pelos seus ministros militares numa situação como aquela, em que se tratava de defendê-lo ou atacar os seus pares.

Diante da insolência de Ouro Preto e da resistência nula de sua suposta guarda, Deodoro caminhou em direção ao portão. Havia uma pequena tensão no ar, pois em meio a todos aqueles soldados podia haver algum disposto a defender o quartel-general. A dois passos do portão, no entanto, o golpe se consumou. O portão foi aberto pelos soldados para a entrada do Marechal Deodoro, que, do pátio, adentrou ao prédio sem resistência.

O que se passou lá dentro foi rápido. Depois de um breve discurso cara a cara com Ouro Preto, quase que se justificando pela atitude que acabava de tomar, Deodoro terminou declarando que a partir daquele momento o ministério estava demitido e acrescentou que "quanto ao imperador, tem a minha dedicação, sou seu amigo, devo-lhe favores, seus direitos serão respeitados e garantidos".[52] Na história do golpe elaborada mais tarde pelos republicanos e reproduzida até hoje, a República havia sido proclamada aqui, nesse ato de Deodoro na manhã do dia 15 de novembro de 1889. Como vimos, nada disso ocorreu; pelo contrário, Deodoro não só ratificou sua obediência ao imperador, como garantiu o respeito aos seus direitos.

Nas suas memórias, Ouro Preto diria sobre aquele momento que "não possuindo naquela emergência outros elementos de ação, diante da opinião já manifestada pelos seus colegas, eu, fazendo sentir que repetidas vezes, instantemente e debalde, ordenara que os sublevados fossem batidos em caminho, e, ainda depois de se haverem postado diante do quartel-general, que os desalojassem daquela posição à viva força, no que fora desobedecido, declarei que me resignava às circunstâncias e passaria por telegrama a S. M. o imperador o pedido de exoneração do Ministério".[53]

Completamente vendido e abandonado por todos, Ouro Preto redigiu de próprio punho, na frente de Deodoro, o seguinte telegrama ao imperador: "Senhor, o Ministério, sitiado o quartel-general da Guerra [...] tendo por mais de uma vez ordenado, pelo órgão do presidente do conselho e do ministro da Guerra, que se empregasse a resistência à intimação armada do Marechal Deodoro para pedir a sua exoneração, diante da declaração feita pelos generais Visconde de Maracaju, Floriano Peixoto e Barão do Rio Apa de que, por não contarem com a força reunida, não há possibilidade de resistência com eficácia, depõe nas mãos augustas de Vossa Majestade o seu pedido de demissão. A tropa acaba de confraternizar com o Marechal Deodoro, abrindo-lhe as portas do quartel."[54]

Deodoro virou-se e partiu sem nada mais dizer. Cavalgou pelas ruas ao lado dos principais comandantes, seguidos pela tropa. Quando chegou ao Campo de Santana, retornou para casa, tendo ordenado que as tropas sob o seu comando se recolhessem igualmente aos seus respectivos quartéis, no que foi plenamente obedecido.

O povo se questionava nas ruas do que se tratava aquele desfile das forças armadas. "Defesa da pátria", diziam uns. "Que tolos; defesa da pátria por quê? Quem é que pensa em agredir a pátria?", diziam outros. Enquanto isso, a cidade seguia o seu fluxo normal.

Toda aquela celeuma entre o ministério e as forças armadas havia chegado ao fim e sido devidamente vingada naquela atitude do Marechal Deodoro, de impor a Ouro Preto a sua demissão. Havia dito mesmo a Ouro Preto que em breve se apresentaria ao imperador para lhe oferecer os nomes que comporiam o novo ministério.

Em nenhum momento, como se sabe, Deodoro havia sequer pronunciado a palavra república, muito menos estava diretamente empenhado na queda da Monarquia. Ouro Preto era o seu alvo, e a missão estava cumprida.

O próprio Deodoro, pouco tempo depois, já presidente da República, confessou que "quando eu ia à frente, entre Quintino e Benjamin, como Cristo entre o bom e o mau ladrão, aquele sujeito [e apontou para Quintino, que punha em ordem, numa mesa próxima, os papéis da sua pasta] disse-me: quando sairmos desta rua, ou o senhor será presidente da República ou será um general para ser fuzilado. Escolha. Não tive pressa; de volta ao Campo, recolhi-me à casa com muita dispneia, embora os que me rodeavam instassem para que eu proclamasse a República. Não foi coisa feita às pressas. Só se fez mais tarde, em razão do curso que tomaram os acontecimentos".[55]

9

A ASTÚCIA DE BENJAMIN CONSTANT: UM GOLPE DENTRO DO GOLPE

E a direção que os acontecimentos daquela manhã de 15 de novembro tomaram não ocorreu de forma tão natural como se poderia imaginar. Se a natureza não faz nada em vão, Benjamin também não.

Se Deodoro e os majores Silva Teles e Lobo Botelho, que eram monarquistas convictos, se resignaram e foram embora satisfeitos, os republicanos civis e militares continuavam na batalha, pois se o sentimento de intolerância dos primeiros era contra o ministério, o dos demais — Quintino, Benjamin, Solon, entre outros — era contra a Monarquia, que queriam derrubar desde o início.

Haviam arrancado um passo, se muito, em direção à República, mas faltava ainda um fato novo para convencer o marechal e os outros majores de que era a hora e o lugar. Esse fato novo viria apenas no início da noite, e o astucioso Benjamin saberia transformá-lo no Santo Graal da proclamação da República.

O imperador chegou ao Paço da Cidade no meio da tarde desse dia 15 de novembro e procurou informar-se exatamente de tudo que se passava. A vida corria normalmente no cotidiano das repartições. Até mesmo a queda de um ministério, como várias vezes havia ocorrido ao longo de todo o Segundo Reinado, não era assim de todo uma novidade a ponto de abalar gravemente a política nacional. O fato novo, a novidade, essa sim preocupante, era que pela primeira vez na história do Brasil não foi o imperador que havia destituído um ministério ao sabor de suas conveniências; o ministério havia sido destituído à revelia do imperador, por meio de uma sublevação militar.

Embora declarasse que nada tinha contra o imperador, o ato praticado por Deodoro naquela manhã feria de morte a sua relação com ele, sobretudo porque subvertia a ordem das coisas e submetia o imperador à sua vontade, além de afrontá-lo em seu poder e em sua autoridade. Uma crise institucional estava, no mínimo, instaurada.

Essa ruptura entre ambos impôs ao imperador duas condições. A primeira delas — que fazia mais o estilo de D. Pedro II — seria ignorar totalmente o Marechal Deodoro — quando dizia que queria ele indicar outro ministério — e tudo o que havia ocorrido pela manhã, e instituir imediatamente um novo ministério, para que o país não ficasse acéfalo. A outra providência era a de apurar responsabilidades, individualizar as condutas de cada um no episódio e punir severamente os responsáveis pelo levante.

Se a questão se esvaziasse por aqui, ou seja, se o imperador conseguisse restabelecer o ministério e calar a voz dos sediciosos, certamente com o tempo ele iniciaria uma caça às bruxas bem ao estilo de Caxias. Esta, aliás, era a maior preocupação de Benjamin, não permitir que a coisa esfriasse, se esvaziasse, que as fogueiras se apagassem e que a Monarquia tivesse tempo para respirar. A questão para Benjamin era como manter aquele lume aceso.

A segunda delas seria a de procurar o Marechal Deodoro e tentar compor com ele — como o marechal exigia — um novo ministério nos seus moldes, com os nomes que indicasse, mas nesse caso não estaria cedendo terreno demais a Deodoro? Não estaria transformando-o assim numa espécie de vice-rei, com poderes para destituir e instituir ministérios ao sabor de seus achaques de velho? E como ficaria a questão do Terceiro Reinado, que para todos os efeitos já havia começado com a degradação da saúde do imperador, com aquele elemento novo se integrando ao poder? A Princesa Isabel — que havia se livrado a duras penas de Cotegipe — é que precisaria manter um ministério inteiramente submisso a ela para dar andamento aos seus projetos. Teria ela as asas cortadas por um ministério indicado por Deodoro? Todas essas questões pairavam na cabeça do imperador.

Havia de fato uma franca disposição do Marechal Deodoro para dialogar, pois, se não tivesse intenções conciliatórias, ele não teria chegado às portas do quartel-general propondo um diálogo, ainda que com Floriano, que como vimos ele fez. Deodoro teria simplesmente adentrado a ferro e fogo no quartel, rendido o ministro, que estava vendido desde o início, o demitido, o prendido e até o matado, se fosse o caso.

A verdade é que toda aquela articulação envolvia a elite política brasileira, os donos do poder. Para o povo, não mudava nada, tanto que se conformou com a queda do Gabinete Ouro Preto, da mesma maneira que se conformaria com um possível gabinete formado pelo Marechal Deodoro e com quem mais ele indicasse. Da mesma maneira que se conformaria com a queda da Monarquia e com a proclamação da República, que se daria dali a algumas horas. Essa é a triste realidade do povo brasileiro, que na sua indiferença com a política, com tudo que é público e com o bem-estar social vai soçobrando no seu triste individualismo e, assim, sofrendo profundamente as dores do parto de uma cidadania que teima em não amadurecer no país até os dias de hoje.

O imperador chamou imediatamente Ouro Preto e o questionou sobre quem ele indicava para o novo ministério. Esse é um sinal claro de que o imperador tinha optado pela via de ignorar o ato do Marechal Deodoro e com isso não lhe dar a importância política que ele esperava ter angariado pela manhã. Ouro Preto indicou então, sem pestanejar, o nome de Gaspar Silveira Martins. Nesse momento algo obscuro aconteceu e até hoje ainda não foi totalmente esclarecido.

Um primeiro aspecto se refere a Ouro Preto. Por que teria indicado logo Gaspar Martins e não outro — Saraiva, por exemplo —, já que o primeiro se encontrava em viagem a Santa Catarina e o segundo, além de se encontrar no Rio de Janeiro, era de longe o nome mais indicado para contornar a crise? Porque Gaspar Martins, se com esse ato, sendo que o homem era desafeto de Deodoro, mais ainda que o próprio Ouro Preto, complicaria o que já estava complicado. Das duas, uma. Ou Ouro Preto não sabia que Gaspar e Deodoro se odiavam reciprocamente — dificilmente não saberia, pois era notório — ou sabia e teria feito de propósito, aproveitando-se da confusão mental do imperador, gravemente enfermo, como uma forma de vingança. Ouro Preto estava profundamente ressentido, sobretudo com Maracaju e Floriano, pois se sentia traído por ambos.

Um segundo aspecto diz respeito ao fato de que estava no Paço da Cidade, junto com o imperador, uma legião de pessoas em permanente entra e sai. A questão é saber qual delas havia levado até Benjamin a notícia que geraria o tal fato novo que ele tanto esperava e que até buscava desesperadamente naquele momento, para manter as chamas acesas. É extremamente importante ter ciência de tal fato, porque essa pessoa foi coautora no processo da proclamação da República, embora não apareça nos livros de história.

Afluíram ao Paço naquela tarde de 15 de novembro de 1889 o Conselheiro Olegário Herculano de Aquino Castro, o Conselheiro Domingos de Andrade Figueira, o Conselheiro João Alfredo Correia de Oliveira, o Conselheiro José Silva Costa, o Conselheiro Manuel Pinto de Sousa Dantas, o Conselheiro Francisco de Carvalho Soares Brandão, o Conselheiro José Antonio Saraiva, João Lustosa da Cunha, o Marquês de Paranaguá, Joaquim Marques Lisboa, o Marquês de Tamandaré, o Conde de Carapebus, Mota Maia, Alzejur, a Condessa de Baependi, os viscondes da Penha, de Nogueira da Gama, de Taunay, de Garcez, a Viscondessa de Fonseca da Costa, D. Josefina, os barões do Catete, de Jaceguai, de Loreto, de Muritiba, de Ivinhema, a Baronesa de Suruí, irmã de Caxias, o Comendador Souza Ferreira, Caetano da Fonseca Costa, Tomás Coelho, Maria Cândida de Araújo Viana, Pandiá Calógeras, José Calmon, o Coronel Lassance, entre outros. Alguém dessa lista traiu o imperador e a Monarquia, pois sem tal traição Benjamin Constant jamais iria ficar sabendo de que se cogitou por um instante o nome de Gaspar Silveira Martins.

De todas essas pessoas que estavam no Paço, algumas embarcariam com o imperador, outras não esperariam nem o seu navio desaparecer no horizonte para se declarar republicanas. Dormiram monarquistas e acordaram transmutadas em republicanas, assim como o Gregor Samsa de Kafka transformado em barata. Muitos até assumiram cargos de confiança na República. João Alfredo Correia de Oliveira, por exemplo, se tornou chefe do Banco do Brasil; Olegário, Ministro do Supremo Tribunal Federal. Coincidentemente, quando o imperador resolveu consultar o Conselho de Estado naquela noite, eram os únicos que já haviam partido.

Gaspar Martins era um dos mais rancorosos inimigos de Deodoro, os dois se odiavam de forma mortal. O fato de ter o imperador aceitado a indicação do seu nome, mesmo estando fora do

Rio de Janeiro, mostra o quanto havia nas suas atitudes a intenção de afrontar o Marechal Deodoro. Somente o Conde D'Eu se opôs à nomeação de Gaspar Silveira, dizendo que naquela situação, por ele estar em Santa Catarina, "como pensar em ficar dias sem governo?". Ao que o imperador teria replicado: "Vamos esperar."

No fundo, o imperador sabia do desatino que era esse estado de coisas, mas não queria dar a Deodoro o braço a torcer. Mas em pouco tempo teve que ceder. Pôs de lado a solução que passava por Gaspar Martins e anuiu à ideia de que fosse indicado o nome de Saraiva para organizar o novo ministério da forma que bem entendesse, até mesmo considerando a inclusão, naquela altura inevitável, da figura do Marechal Deodoro ou de quem ele indicasse. Aliás, corria-se já a notícia de que era Deodoro quem proporia um ministério ao imperador, que seria formado também, além dele, por Quintino Bocaiúva e Benjamin Constant. "Se assim for", dizia o imperador, "será a minha aposentadoria [...] já trabalhei muito e estou cansado, irei então descansar".

Nessa altura do campeonato, o nome de Gaspar já tinha sido descartado havia horas, pois fincar o pé em torno de seu nome num primeiro momento era apenas uma pirraça infantil do imperador para atormentar Deodoro. No entanto, um dos informantes que iam e vinham do Paço Imperial para o Centro e do Centro para o Paço Imperial, num leva e traz incessante de notícias desencontradas e fofocas, já havia feito o favor para Benjamin de destilar o seu veneno. O nome do animal de peçonha jamais saberemos, mas o fato de, como quem não quer nada — ou tudo — ter levado aos republicanos tal informação, que se revelaria preciosa, era como se tivesse lançado um boi às piranhas. O alvoroço foi geral.

Ao perspicaz Benjamin, que lutava com todas as suas forças para que a fogueira acesa pela manhã por Deodoro não arrefecesse, a notícia da escolha do nome de Gaspar era como se alguém tivesse lançado um quinhão de combustível nas parcas brasas que ainda queimavam num lusco-fusco desalentador. A República ia se distanciando no horizonte, e a ajuda havia vindo de quem menos se esperava, do próprio imperador. Era hora de fazer o papel do cramulhão.

Municiado do seu tão buscado e inesperadamente recebido fato novo — uma verdadeira bomba atômica —, Benjamin adentrou a casa de Deodoro praticamente sem ser anunciado. Encontrou o marechal na cama, entre a vida e a morte. Mas a notícia de que Gaspar Silveira Martins viajava ao Rio de Janeiro para assumir o ministério fez com que o marechal *ressuscitasse* e num rompante de fúria esbravejasse o abre-te sésamo que todos gostariam de ouvir, para regozijo de Benjamin e dos republicanos de sempre... e os de última hora.

Enquanto isso, no Paço Imperial, o Conselho de Estado e o imperador confiavam a Saraiva a formação de um novo ministério, com a indicação de convidar Deodoro para a pasta da Guerra. Coube ao Major Trompowski, naquele início de madrugada do dia 16 de novembro de 1889, levar a proposta para o marechal. Mas Benjamin havia chegado antes.

Às três horas da madrugada, o major retorna com a notícia devastadora e com um bilhete endereçado à Princesa Isabel, enviado por Manuel Veloso Paranhos Pederneiras, do *Jornal do Commercio*: "A República está proclamada. Deodoro é o chefe do governo provisório. Ministério republicano organizado com Bocaiúva, Rui Barbosa, Benjamin Constant, Aristides Lobo, Wandenkolk, Campos Sales e um engenheiro do Rio Grande do Sul. Ouro Preto novamente preso no II Regimento de Cavalaria. Há ordem de prisão contra Cândido de Oliveira. Silveira Martins já foi preso em Santa Catarina. Os revoltosos estão senhores dos telégrafos, Correios e repartições da polícia. Já há patrulhas armadas por toda parte. Reina grande entusiasmo por toda a cidade."[56]

Há, evidentemente, nesse bilhete, um pouco de exagero, mas não deixava de ser verdadeiro. O marechal já havia anuído à ideia da República.

No processo de proclamação da República no Brasil ocorreu este fato inusitado: o Marechal Deodoro se revelou um monarquista e o Imperador D. Pedro II, um republicano.

10

O IMPERADOR SIMPLESMENTE DESISTIU

No intervalo entre a saída de Trompowski e o seu retorno, cada um procurou, ao seu modo, conter a ansiedade. O único que parecia completamente sereno era o imperador, que passou parte do tempo lendo as suas habituais revistas científicas. Dizem que as lia até mesmo no Cais Pharoux, enquanto esperava a lancha do Arsenal de Guerra que o levaria ao cruzador *Parnaíba* e, nele, até Angra dos Reis para embarcar no navio *Alagoas* que o conduziria ao exílio. Completamente indiferente e desinteressado da resposta de Deodoro, recolheu-se para dormir, como faria num dia qualquer.

Essa atitude do imperador reflete o seu pensamento sobre tudo aquilo que se passava. Das duas únicas possibilidades que se colocavam diante dele para a solução do problema, ele declinou de ambas. A primeira era se submeter a Deodoro, embora o encontro entre Deodoro e Saraiva estivesse projetado, a ideia da coalizão não agradava nem um pouco ao imperador; causava-lhe, ao contrário, imensa antipatia. A segunda possibilidade era organizar uma resistência e lutar pela manutenção da Monarquia.

Finalmente, dizendo-se enviado do governo provisório, entregou uma mensagem ao imperador comunicando o banimento da Monarquia: "Os sentimentos democráticos da nação há muito tempo preparados..."

Ao que o imperador respondeu: "À vista da representação escrita, que me foi entregue hoje, às três horas da tarde, resolvo, cedendo ao império das circunstâncias, partir com toda a minha família para a Europa amanhã, deixando esta pátria, de nós estremecida, à qual me esforcei por dar constantes testemunhos de estranhado amor e dedicação durante quase meio século em que desempenhei o cargo de chefe de Estado. Ausentando-me, pois, eu, com todas as pessoas da minha família, conservarei do Brasil a mais saudosa lembrança, fazendo ardentes votos por sua grandeza e prosperidade. Rio de Janeiro, 16 de novembro de 1889. D. Pedro de Alcântara."[61] Informalmente, no entanto, o imperador teria resmungado pela casa: "Esses senhores são uns doidos."

Ao contrário do que todos pudessem imaginar, nem nos seus melhores sonhos os republicanos imaginaram que seria tão fácil. O imperador se resignou e acatou incondicionalmente as determinações do governo provisório. A partir desse momento, em que entregava formalmente o poder aos republicanos, cumpriu sem reclamar todas as exigências, determinações e procedimentos que a ele foram impostas. O seu desprendimento revela a atitude de quem se desapropriava da coroa como quem se livrava de um móvel velho, um entulho, um estorvo.

Durante todo aquele dia 16 de novembro, a família imperial ficou retida no Paço da Cidade. Conformado, o imperador teria dito: "Pois se tudo está perdido, que haja ao menos calma. Eu não tenho medo do infortúnio." Na madrugada do dia 17, foram embarcados. Passaram o dia todo aguardando providências e a chegada dos príncipes — filhos de Isabel que estavam em Petrópolis —, e no início da madrugada chuvosa do dia 18 de novembro de 1889 o vapor *Alagoas* levantou ferros na

Enseada do Abraão e, escoltado pelo navio *Riachuelo,* partiu levando consigo um sentimento inominável, um misto de tristeza e felicidade.

Um sentimento típico de um ser humano que, arrancado de sua zona de conforto, vivia ao mesmo tempo a ansiedade das perdas e o medo do desconhecido, de um lado, e a certeza da existência de uma imensa gama de possibilidades que se abria com um mundo novo, cheio de oportunidades, de outro lado. Mesmo que, naquela altura da vida, aos 64 anos, as esperanças fossem parcas, e talvez a decisão de se livrar do imenso fardo que carregou por quase meio século, tardia.

FINALMENTE: A CRÔNICA DE UMA REPÚBLICA NÃO PROCLAMADA

Desde a mais tenra juventude, o imperador descobriu que, devido à importância da posição que ocupava, algumas liberdades não lhe seriam permitidas. A mais restritiva delas, a de expressão de seus pensamentos, das suas ideias. Desenvolveu então uma espécie de dupla personalidade. O polo estadista manteve-se conservador do *status quo* de uma sociedade que guardava um forte ranço do passado colonial brasileiro: escravista, patriarcalista, ruralista, monocultor, latifundiário. O polo oposto, urbano, liberal, progressista, foi amadurecendo aos poucos e culminou com as suas viagens pela Europa e pelos Estados Unidos, quando foi estreitando os laços de amizade com intelectuais, pesquisadores, viajantes e artistas europeus, que figuravam no rol de suas admirações pessoais.

O atraso que representavam o ruralismo e sobretudo a escravidão saltou aos olhos do imperador, que desenvolveu a convicção de que aquele estado de coisas deveria mudar para o bem do futuro do Brasil. E o futuro, na concepção do imperador, era o trabalho livre, assalariado, que movimentaria uma sociedade da produção e do consumo — da indústria e do comércio —, era também o liberalismo político e até mesmo a República.

Esse movimento pendular foi o maior responsável pela atitude de passividade que apresentou no episódio da proclamação da República. Sempre soube que seria tolerado pela elite brasileira — os verdadeiros donos do poder —, uma vez que o seu pêndulo estivesse posicionado no polo que a interessava. À medida que esse pêndulo se fosse movimentando para o polo oposto, o imperador se tornaria *persona non grata*. A elite brasileira — até os dias de hoje, diga-se de passagem — jamais aceitou a implantação de um projeto social que passasse ao largo dos seus interesses imediatos, que implicasse, portanto, melhor distribuição de renda, melhores oportunidades para todos, universalização do acesso à saúde, educação etc.

Toda conspiração que o imperador havia armado em torno da filha e do genro era a projeção de um Terceiro Reinado que fosse necessariamente nesse sentido, ou seja, das transformações que eram o passaporte do Brasil para outro universo.

A queda da Monarquia um ano após a extinção da escravidão e do incentivo à imigração e à industrialização — basta conferir a Fala do Trono da Princesa Isabel de 3 de maio de 1888 — é sintomática. Nesse momento ocorre uma situação *sui generis*, ou seja, os republicanos, considerados a vanguarda do pensamento político brasileiro, se revelam profundamente conservadores, enquanto a Monarquia se revela profundamente reformista, progressista, renovadora. Para os republicanos, a abolição da escravidão era sinal de despotismo e a sua manutenção era sinal de respeito à ordem social estabelecida. Para a Monarquia, o escravismo era o atraso, enquanto a abolição era o progresso. Como se pode ver, em matéria de política, invertendo uma proposição do filósofo alemão Hegel, nem sempre o real é racional e o racional é real.

O ato da abolição da escravidão perpetrado pela Princesa Isabel era a vanguarda completa. Além de eliminar o principal empecilho do avanço da economia brasileira, que se queria europeia em todos os sentidos, direcionava todas as suas forças para os setores comerciais e industriais em detrimento do setor rural, até então predominante. Com o pêndulo do imperador, a partir de 1850, pendendo para o lado oposto, a sua expectativa era a de que um novo mundo surgiria aos poucos nos espíritos dos homens e se materializaria futuramente no projetado Terceiro Reinado da Princesa Isabel.

O baile na Ilha Fiscal, como vimos, foi o termômetro que revelou quão alta estava a temperatura em torno da ideia de uma nova sociedade. Da parte dos comerciantes, dos industriais e dos profissionais liberais, ou seja, da nova burguesia brasileira, que não retirava mais a sua fortuna do campo e do trabalho escravo, a adesão era total. O Terceiro Reinado estava consolidado.

Os militares perceberam também esse movimento. A proclamação da República foi, desse modo, um ato isolado dos militares. O golpe foi só deles. Até por isso mesmo fizeram tudo no maior silêncio possível, sem o alarde das revoluções, que, em geral, convocam setores descontentes da sociedade e o povo para participar.

Por mais que estivessem descontentes com os rumos da política e da economia do Império, os fazendeiros aderiram ao golpe de forma secundária. Apoiaram, mas não participaram, não se mobilizaram. Por isso mesmo é que aconteceu do jeito que aconteceu, ou seja, na surdina, quase sem querer e num ato completamente isolado perpetrado pelas forças militares. Os grupos que compunham o tecido social do Império não participaram, tampouco o povo.

A verdade é que durante todos os acontecimentos que se desdobraram entre a manhã do dia 15 de novembro até a madrugada do dia 17, a população da Corte mal sabia o que estava se passando.

Imaginem o cenário no interior do país. Um fato sintomático de que o golpe contra a Monarquia era meramente militar e não contava com o apoio de nenhum setor da sociedade é o fato de os militares terem tido o cuidado de decidir embarcar o imperador e toda a sua família durante a madrugada do dia 17, com a declarada intenção de que ninguém soubesse. No fundo, os militares sabiam e temiam que o golpe da República, a deposição e o exílio da Monarquia fossem recebidos pela sociedade com antipatia.

A proclamação da República no Brasil foi um fato único na história, pois a revolução não se deu contra um regime conservador que estivesse em franca contradição com a sociedade. Não se deu contra um regime que, envelhecido em suas ideias e políticas econômicas e sociais, estivesse se transformando num empecilho, num obstáculo ao desenvolvimento do país. Não se deu contra um regime conservador que estivesse tomando medidas restritivas e que freava o desenvolvimento do país. Pela primeira vez na história, ocorreu uma revolução conservadora, urdida não para mudar, mas para manter todas as coisas exatamente como estavam, com medo do novo.

O modelo que a Princesa Isabel queria implementar não era deste mundo, como teria dito ao imperador o Ministro Saraiva, e por isso caiu. Aliás, por essas e por outras é que se pode dizer que a Monarquia no Brasil não foi derrubada, simplesmente caiu.

Chegando à Europa, o Conde D'Eu e a Princesa Isabel, com os filhos, foram morar em Cannes e depois em Versalhes, onde receberiam frequentemente a visita do imperador. Já este, junto com a imperatriz, ficou em Paris, onde confessou que vivia "à lei das minhas inclinações, sem despertar críticas nem incorrer em pesadas responsabilidades. Leio, estudo, passeio e movo-me desembaraçadamente. Não me vejo forçado a sacrificar a devoção à obrigação, gozando de um repouso de que já ia precisando". E ironizando aqueles que o acusavam de exercer demasiado o poder pessoal, teria dito: "Vivo numa absoluta ociosidade, exercendo genuíno poder pessoal, pois realizo tudo quanto me apraz."

No dia 28 de dezembro de 1889, a imperatriz faleceu. Completamente só, o imperador dedicou o resto dos seus dias ao que mais gostava de fazer: ler e viajar. A sua peregrinação em visita a amigos incluía estadas em Cannes, Vichy, Versalhes, Baden-Baden e outras diversas cidades da França e da Alemanha. Muitos desses amigos, brasileiros, haviam sido ministros, senadores e deputados na época do Império e encontravam-se igualmente exilados; os estrangeiros haviam sido diplomatas ou ex-chefes de Estado de nações limítrofes com o Brasil que se encontravam de passagem pela Europa e faziam questão de visitar o ex-imperador.

Fora as andanças, dedicava-se ao estudo e à leitura. Traduziu a Bíblia do hebraico, *As mil e uma noites* do original em árabe, além de diversos textos e poemas nos mais variados idiomas, com o intuito de treinar a fluência dos que dominava. Dizia que "nas preocupações científicas e no constante estudo é que acho o consolo e me preservo das tempestades morais".

Na manhã do dia 5 de dezembro de 1891, "mais de 2 mil telegramas e centenas de coroas de flores já haviam chegado ao hotel, uma delas enviada pela Rainha Vitória. O corpo foi embalsamado e levado no dia 8 para a Igreja da Madeleine em cortejo oficial, no mesmo carro usado nos funerais do ex-presidente Thiers, que conhecera em 1871. A igreja tinha as paredes forradas de preto, e enorme catafalco fora colocado no centro da nave [...] no dia 9 houve exéquias solenes com a presença do General Brugère, chefe da Casa Militar, representando Sadi Carnot, dos presidentes do Senado e da Câmara, de quase todos os membros da Academia Francesa, do Instituto da França e da Academia de Ciências Morais, da família imperial, de representantes de muitas outras casas reais e de vários brasileiros, aos quais se juntava Eça de Queiroz [...] da Madeleine partiu o imenso cortejo, composto de 12 regimentos comandados por um general e formado por cerca de 5 mil pessoas".[62]

O ex-imperador havia morrido nas primeiras horas desse dia.

Se pensarmos que o imperador conduziu o Terceiro Reinado exatamente para o lugar que queria e da forma que desejava, pode-se dizer que com a República ele ganhou, mas perdeu.

Contudo, se pensarmos que a República foi para o imperador uma libertação completa, pois lhe permitiu viver exatamente do modo que sempre desejou, pode-se dizer que com a República ele perdeu, mas ganhou.

NOTAS

PARTE I

1 Lacombe, L.L. *Isabel, A Princesa Redentora*. Instituto Histórico de Petrópolis, 1989, pág. 4.
2 Carta do Paço da Cidade, 14 de abril de 1876.
3 Jornal *A Semana*, 8 de janeiro de 1887.
4 Rangel, A. *Gastão de Orleans, o Último Conde D'Eu*. São Paulo: Cia. Ed. Nacional, 1935, pág. 345.
5 Jornal *A Semana*, 9 de abril de 1887.
6 Lyra, H. *História de D. Pedro II*. São Paulo: Editora Itatiaia, 1977, pág. 157.
7 *Ibid.*, pág. 161.
8 *Aurora Fluminense*, 11 de março de 1831.
9 *Ibid.*, *Id.*
10 *Aurora Fluminense*, 16 de março de 1831.
11 *Aurora Fluminense*, 18 de março de 1831.
12 *Ibid.*, *Id.*
13 Carvalho, A. *Caxias*. Rio de Janeiro: BIBLIEX, 1976, pág. 42.
14 *Ibid.*, *Id.*
15 *Ibid.*, pág. 43.
16 *Ibid.*, *Id.*
17 *Ibid.*, *Id.*
18 *Ibid.*, *Id.*
19 *Ibid.*, pág. 45.
20 *Ibid.*, pág. 46.
21 *Aurora Fluminense*, 8 de abril de 1831.
22 *Aurora Fluminense*, 11 de abril de 1831.
23 *Ibid.*, *Id.*
24 *Aurora Fluminense*, 13 de abril de 1831.
25 Souza, A. B. *Duque de Caxias*. Rio de Janeiro: Civilização Brasileira, pág. 187.
26 Carvalho, A. *Op. cit.*, pág. 67.
27 Lyra, H. *Op. cit.*, pág. 164.
28 Holanda, S. B. *Raízes do Brasil*. São Paulo: Companhia da Letras, 1995, pág. 74.
29 Caldeira, J. *Mauá: Empresário do Império*. São Paulo: Companhia das Letras, 1995, pág. 18.
30 *Ibid.*, pág. 30.
31 *Ibid.*, pág. 198.
32 *Ibid.*, pág. 224.
33 *Ibid.*, pág. 243.
34 *Ibid.*, pág. 241.
35 *Ibid.*, pág. 267.
36 *Ibid.*, pág. 268.
37 *Ibid.*, pág. 278.
38 *Ibid.*, pág. 273.
39 *Ibid.*, pág. 17.
40 Calmon, P. *História de Pedro II*. Rio de Janeiro: Editora José Olympio, 1975, pág. 696.
41 *Ibid.*, *Id.*
42 *Ibid.*, *Id.*

43 Lyra, H. *Op. cit.*, pág. 164.
44 *Ibid.*, *Id.*
45 Decreto 3725-A de 6 de novembro de 1866. *In:* Arquivo da Câmara dos Deputados.
46 Lei 2.040 de 28 de setembro de 1871 — Lei do Ventre Livre. *In:* Arquivo da Câmara dos Deputados.
47 *Ibid.*, *Id.*
48 *Carta de Varnhagen ao Imperador*, de 20 de agosto de 1955.

PARTE II

1 Carta de Lisboa, dezembro de 1855. *In:* Lacombe, L.L. *Isabel, a Princesa Redentora.* Instituto Histórico de Petrópolis. 1989, pág. 54.
2 Carta de Lisboa, 11 de maio de 1857. *In:* Lacombe, L.L. *Op. cit*, pág. 55.
3 Lacombe, L.L. *Op. cit.*, pág. 56.
4 *Ibid.*, *Id.*
5 *A Marmota*, 16 de outubro de 1857.
6 *Ibid.*, *Id.*
7 *Ibid.*, *Id.*
8 *Ibid.*, *Id.*
9 *Ibid.*, *Id.*
10 *Anais do Parlamento Brasileiro. In:* Lacombe, L.L. *Op. cit.*, pág. 56.
11 *Ibid.*, *Id.*
12 *Ibid.*, pág. 57.
13 *Ibid.*, pág. 58.
14 *Ibid.*, *Id.*
15 Calmon, P. *Op. cit.*, pág. 699.
16 Lacombe, L.L. *Op. cit.*, pág. 60.
17 *Ibid.*, *Id.*
18 Lacombe, L.L. *Op. cit.*, pág. 62.
19 *Ibid.*, *Id.*
20 Lacombe, L.L. *Op. cit.*, pág. 64.
21 *Ibid.*, *Id.*
22 Lacombe, L.L. *Op. cit.*, págs. 70-71.
23 *Ibid.*, *Id.*
24 Lacombe, L.L. *Op. cit.*, pág. 72.
25 *Ibid.*, *Id.*
26 Rangel, A. *Op. cit.*, 1935, pág. 99.
27 Lacombe, L.L. *Op. cit.*, pág. 76.
28 Bourbon, E. *Memórias de Dona Eulália de Bourbon. In:* Lacombe, L.L. *Op. cit*, pág. 78.
29 Rangel, A. *Op. cit.*, pág. 101.
30 Lacombe, L.L. *Op. cit.*, pág. 67.
31 Rangel, A. *Op. cit.*, págs. 106-107.
32 *Ibid.*, *Id.*
33 Carta à Princesa Margarida de Orleans. *In:* Rangel, A. *Op. cit.*
34 Barman, R.J. *Princesa Isabel do Brasil: Gênero e poder no século XIX.* São Paulo: Editora Unesp, 2005. Pág. 76.
35 *Ibid.*, pág. 78.
36 Lacombe, L.L. *Op. cit.*, pág. 83.
37 *Ibid.*, pág. 105.
38 *Ibid.*, *Id.*
39 Lacombe, L.L. *Op. cit.*, pág. 115.

40 *Ibid., Id.*
41 *Ibid., Id.*
42 Lacombe, L.L. *Op. cit.*, pág. 118.
43 *Ibid., Id.*
44 *Ibid., Id.*
45 Carta de Lansdow, 22 de setembro de 1866. *In:* Lacombe, L.L. *Op. cit.*, pág. 120.
46 *Ibid., Id.*
47 Lacombe, L.L. *Op. cit.*, pág. 120.
48 Carta de Lansdown Villa, 6 de dezembro de 1866. *In:* Lacombe, L.L. *Op. cit.*, pág. 121.
49 Calmon, P. *Isabel, a Redentora*. São Paulo: Brasiliana, 1941, pág. 63.
50 Carta de Lansdown Villa, 7 de janeiro de 1867. *In:* Lacombe, L.L. *Op. cit.*, pág. 121.
51 Maquiavel, N. *O Príncipe*. Coleção *Os Pensadores*. São Paulo: Editora Abril, 1973, pág. 107.
52 Holanda, S.B. *Da Monarquia à República (O Brasil Monárquico)*. Rio de Janeiro: Bertrand Brasil, 2002, pág. 8.
53 Faoro, R. *Os Donos do Poder*. São Paulo: Publifolha, 2000, pág. 54.
54 *Ibid., Id.*
55 *Ibid., Id.*
56 Cf. Faoro, R. *Op. cit.*, pág. 56.
57 Lacombe, L.L. *Op. cit.*, pág. 122.
58 Lyra, H. *Op. cit.*, pág. 258.
59 Calmon. P. *Op. cit.*, pág. 73.
60 *Ibid., Id.*
61 Lyra, H. *Op. cit.*, pág. 265.
62 Maquiavel, N. *Op. cit.*, pág. 75.
63 Rangel, A. *In:* Lacombe, L.L. *Op. cit.*, pág. 125.
64 Carta de Petrópolis, 1º de fevereiro de 1869. Lacombe, L. L. *Op. cit.*, pág. 125.
65 Lira, H. *História de D. Pedro II. In:* Lacombe, L.L. *Op. cit.*, pág. 126.
66 Carta de Montlebanon, 7 de maio de 1869. *In:* Lacombe, L.L. *Op. cit.*, pág. 127.
67 Lacombe, L.L. *Op. cit.*, pág. 128.
68 Carta de Montlebanon, 25 de junho de 1869. *In:* Lacombe, L.L. *Op. cit.*, pág. 129.
69 Lacombe, L.L. *Op. cit.*, pág. 129.
70 *Ibid., Id.*
71 Cf. Holanda, S.B. *Op. cit. Passim.*
72 *Ibid.*, pág. 111.
73 Lacombe, L.L. *Op. cit.*, pág. 133.
74 Calmon, P. *Op. cit.*, pág. 95.
75 Rangel, A. *Op. cit.*, pág. 302.
76 Maquiavel, N. *Op. cit.*, pág. 75.
77 Lacombe, L.L. *Op. cit.*, pág. 134.
78 Barman, R.J. *Op. cit.*, pág. 146.
79 Lacombe, L.L. *Op. cit.*, pág. 135.
80 Arquivo Grão-Pará — XL — 11. Carta de Gastão, Conde D'Eu, a D. Pedro II, 4 de março de 1870.
81 Cf. Holanda, S.B. *Op. cit.*, pág. 307.
82 Cf. Faoro, R. *Op. cit.*, pág. 82.
83 Lima, O. *In:* Faoro, R. *Os Donos do Poder*, pág. 83.
84 *Ibid., Id.*
85 *Ibid., Id.*
86 *Ibid., Id.*
87 *Ibid.*, págs. 83-84.

88 Lacombe, L.L. *Op. cit.*, pág. 140.
89 Fala do Trono, 22 de maio de 1867.
90 Brasil, G. *A Escravidão no Império*. Rio de Janeiro: Pallas, 1975, págs. 89-90.
91 Carta das Laranjeiras, 22 de setembro de 1871.
92 Brasil, G. *Op. cit.*, págs. 89-90.
93 *Ibid., Id.*
94 *Ibid., Id.*
95 *Ibid., Id.*
96 *Ibid., Id.*
97 Lacombe, L.L. *Op. cit.*, pág. 151.
98 *Ibid., Id.*
99 *Ibid., Id.*
100 *Ibid., Id.*
101 *Ibid., Id.*
102 Ata de 15 de novembro de 1871.
103 *Ibid., Id.*
104 Lyra, H. *Op. cit.*, pág. 176.
105 *Ibid., Id.*
106 *Ibid., Id.*
107 *Ibid., Id*
108 Lyra, H. *Op. cit.*, pág. 71.
109 Nabuco, J. *Um Estadista no Império*. Rio de Janeiro: H. Garnier, 1899.
110 *Ibid., Id.*
111 Maquiavel, N. *Op. cit.*, pág. 75.
112 Cf. Manifesto Republicano de 1870.
113 Lyra, H. *História da Queda do Império*, pág. 71.
114 Cf. Jornal *A República*.
115 Lyra, H. *Op. cit.*, pág. 71.

PARTE III

1 Lacombe, L.L. *Op. cit.*, pág. 232.
2 Barman, R.J. *Princesa Isabel do Brasil*. São Paulo: Editora Unesp, 2005, pág. 238.
3 Maquiavel, N. *Op. cit.*, pág. 59.
4 *Ibid. Id.*
5 Lacombe, L.L. *Op. cit.*, pág. 223.
6 Schwarcz, L.M. *As Barbas do Imperador*. São Paulo: Companhia das Letras, 1998, pág. 161.
7 Lacombe, L.L. *Op. cit*, pág. 225.
8 Calmon, P. *A Princesa Isabel*. São Paulo: Brasiliana, vol. 207, pág. 155.
9 Memorando de dezembro de 1888.
10 Lacombe, L.L. *Op. cit.*, págs. 228-230.
11 Barman, R.J. *Op. cit.*, pág. 247.
12 Lacombe, L.L. *Op. cit.*, pág. 229.
13 Maquiavel, N. *Op. cit.*, pág. 67.
14 Carta de 4 de março de 1888.
15 Lacombe, L.L. *Op. cit.*, pág. 230.
16 *Ibid., Id.*
17 Lacombe, L.L. *Op. cit.*, pág. 224.
18 Carta de 14 de março de 1888. *In:* Barman, pág. 247.
19 Carta de maio de 1888.

20 Lacombe, L.L. *Op. cit.*, pág. 232.
21 Maquiavel, N. *Op. cit.*, pág. 195.
22 Calmon, P. *Op. cit.*
23 Fala do Trono, 3 de maio de 1888.
24 Lacombe, L.L. *Op. cit.*, pág. 235.
25 Barman, págs. 256-257.
26 Carta de 31 de julho de 1902 à viúva de Solon.
27 Lyra, H. pág. 167.
28 *Ibid., Id.*
29 *Ibid., Id.*
30 *Revista Illustrada*, 2 de novembro de 1889.
31 *Ibid., Id.*
32 Lyra, pág. 174.
33 Vieira, H. *Ouro Preto*. São Paulo: Brasiliana, vol. 268, pág. 368.
34 *Ibid., Id.*
35 Lyra, H. *Op. cit.*, pág. 183.
36 Vieira, H. *Op. cit.*, pág. 368.
37 *Ibid.*, pág. 214.
38 *Ibid., Id.*
39 Lyra, H. *Op. cit.*, pág. 215.
40 Manifesto do visconde. *In:* Vieira, H. *Op. cit.*, pág. 368.
41 Lyra, H. *Op. cit.*, pág. 320.
42 Lyra, H. *Op. cit.*, pág. 230.
43 *Ibid.*, pág. 261.
44 Ibid., pág. 81.
45 Lyra, H. pág. 258.
46 *Ibid.*, pág. 259.
47 *Ibid., Id.*
48 Vieira, H. *Op. cit.*, pág. 375.
49 *Ibid.*, pág. 376.
50 *Ibid., Id.*
51 *Ibid.*, pág. 378.
52 *Ibid., Id.*
53 *Ibid.*, pág. 377.
54 Lyra, H. *Op. cit.*, pág. 280.
55 Lyra, H. *Op. cit.*, pág. 297.
56 Lyra, H. *Op. cit.*, pág. 353.
57 Lyra, H. *Op. cit.*, pág. 398.
58 Lyra, H. *Op. cit.*, pág. 399.
59 *Ibid., Id.*
60 Lyra, H. *Op. cit.*, pág. 406.
61 Lyra, H. *Op. cit.*, pág. 409.
62 Carvalho, J. M. *D. Pedro II*. São Paulo: Companhia das Letras, 2007.

Papel: Pólen Soft 70g
Tipo: Minion
www.editoravalentina.com.br